D1284393

Nous remercions le ministère du Patrimoine canadien,
la SODEC et le Conseil des Arts du Canada
de l'aide accordée à notre programme de publication

Patrimoine canadien | Canadian Heritage

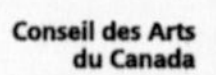

Canada Council for the Arts

ainsi que le gouvernement du Québec
– Programme de crédit d'impôt
pour l'édition de livres
– Gestion SODEC.

Nous reconnaissons l'aide financière
du gouvernement du Canada
par l'entremise du Programme d'aide au développement
de l'industrie de l'édition (PADIÉ) pour ce projet.

Illustration de la couverture :
Gérard Frischeteau

Couverture :
Ariane Baril

Édition électronique :
Infographie DN

Dépôt légal : 4e trimestre 2007
Bibliothèque nationale du Canada
Bibliothèque nationale du Québec

1234567890 IML 0987


ISBN 978-2-89633-003-4
11225

# RENDEZ-VOUS À BLACKFORGE

## DU MÊME AUTEUR AUX ÉDITIONS PIERRE TISSEYRE

**Collection Chacal**

*Les messagers d'Okeanos*, 2001.
*Sur la piste des Mayas*, 2002.
*Les démons de Rapa Nui*, 2003.
*Mission en Ouzbékistan*, 2004.
*Le sanctuaire des Immondes*, 2005.


**Catalogage avant publication de Bibliothèque et Archives Canada**

Devindilis, Gilles

Rendez-vous à Blackforge

(Collection Chacal ; 41)
Pour les jeunes de 14 ans et plus.

ISBN 978-2-89633-003-4

I. Frischeteau, Gérard. II. Titre III. Collection

PZ23.D49Re 2007 jC843'.914 C2007-940793-5

# RENDEZ-VOUS À BLACKFORGE

## GILLES DEVINDILIS

*roman*

**ÉDITIONS**
**PIERRE TISSEYRE**

9300, boul. Henri-Bourassa Ouest, bureau 220
Saint-Laurent (Québec) H4S 1L5
Téléphone: 514-335-0777 – Télécopieur: 514-335-6723
Courriel: info@edtisseyre.ca

# 1

# Rue de la Colonie

*17 novembre...*

Cynthia Glendale jeta un regard vers la vieille horloge. Elle ne savait pas qui l'avait, il y a bien longtemps, accrochée là. Probablement un des illustres chercheurs ayant officié à l'Institut depuis sa création. C'était une pièce de musée, en porcelaine, qui contrastait de manière anachronique avec le reste des équipements ultramodernes du labo. À coups sûrs, des centaines d'yeux avaient contemplé ses aiguilles ouvragées, certains probablement munis de monocles ou de bésicles. Pas un des directeurs qui s'étaient succédés depuis n'avait eu le courage de la décrocher. Par respect. Présentement, elle indiquait dix-huit heures trente.

Cynthia mit en veille les ordinateurs et les détecteurs. Elle était la dernière, les autres ayant déjà levé l'ancre. Depuis quelques jours, ce n'était pas le travail qui manquait. En effet, la commission européenne chargée de veiller à la protection de l'environnement lui avait proposé de participer, avec d'autres scientifiques, à une future mission : se rendre en Irlande et y effectuer un rapport sur les espaces humides. Cynthia aurait pu refuser. Elle ne l'avait pas fait. Pour la simple et bonne raison que ce travail l'intéressait. Habituée à parcourir les océans sous l'égide de l'Institut océanographique de Paris, elle se réjouissait du vent de changement qu'apportait cette mission dans les terres. C'était là une occasion de diversifier ses activités. Il y avait malgré tout un inconvénient : cette mission ne pouvait se faire sans un minimum de préparation, d'où le surcroît de travail actuel. Mais le jeu en vaudrait sûrement la chandelle, alors elle s'en accommodait. Elle passa au vestiaire, puis alla saluer Dimitri, chargé de la surveillance.

— Couvrez-vous bien, mademoiselle Cynthia, lui recommanda l'agent de sécurité. Dehors, il fait un temps déplorable. Ça vient des Îles Britanniques… Qu'est-ce que vous voulez ? Nous sommes en novembre. Bonsoir !

— Bonne nuit, Dimitri. J'espère que tout ira bien.

— Ne vous en faites pas. La routine, comme d'habitude. Il n'y a rien à voler, ici, à part vos bestioles.

*Des bestioles et du matériel qui vaut son pesant d'or,* songea la jeune scientifique. *Sans compter des kilomètres de rapports ! S'il leur arrivait quelque chose, Jean-Jacques en ferait une maladie.* Jean-Jacques Pelletier, c'était son supérieur, le directeur actuel de l'Institut… Soixante-huit ans et pas près de lâcher les rênes. Elle s'entendait bien avec lui. Grâce à son influence, Lorri avait pu mettre son bateau au service de la recherche. Cette bouffée d'oxygène avait ainsi garanti à La Morrigane les fonds nécessaires à son entretien. Le ketch était actuellement à quai à Lorient, en France, prêt pour la prochaine croisière d'étude.

Dimitri n'avait pas menti. Dehors, c'était le déluge. Cynthia rabattit la capuche de sa pèlerine et marcha à pas pressés vers le métro.

Cynthia Glendale sortit à Austerlitz. Elle avait promis à sa mère, Odette, de passer la

voir. Depuis que son père, qui travaillait à l'ambassade américaine, était en mission en Irak pour quelques semaines, sa mère ne vivait plus. Malgré la création d'un nouveau gouvernement dans ce pays, la situation était toujours aussi tendue. Les attentats se succédaient à un rythme effrayant. Les prises d'otages aussi. Cynthia partageait cette appréhension. Elle-même suivait l'actualité de près et décomptait les jours. Quand son père serait de retour, elle se jetterait dans ses bras, comme elle le faisait lorsqu'elle était petite, et qu'il rentrait de mission.

Odette avait eu beaucoup de mal à accepter le dernier travail de son mari. Il lui avait expliqué que les relations entre la France et les États-Unis s'étant détériorées, il fallait recoller les morceaux. Ainsi, de manière plus générale, les diplomates américains choisissaient de faire appel à ceux de leurs ressortissants postés à l'étranger qui présentaient le plus d'affinités avec les peuples au sein desquels ils vivaient. Le dialogue en était facilité lorsque les chargés de mission de ces divers pays se retrouvaient avec des Américains pour collaborer à la reconstruction de l'Irak, qui, c'était une évidence, en avait grandement besoin. La finalité exacte du

dernier conflit ayant mis le feu à ce pays restait un mystère. Andy Glendale avait sans doute sa petite idée sur la question. Mais son avis n'avait que peu d'importance. On l'avait envoyé là-bas et il y était allé.

Cynthia longea le Jardin des Plantes et prit la rue où habitaient ses parents. C'était une maison étroite, tout en hauteur. Le rez-de-chaussée constituait le hall. Au premier étage, il y avait le vivoir et la cuisine ; au second, le bureau, la bibliothèque et les chambres, coiffées d'un grenier mansardé.

— Ma petite chérie, l'accueillit sa mère, tu dois être transie. Viens vite te réchauffer.

— Tu es allée chez le coiffeur ?

— Ça ne te plaît pas ? Il faut bien que je fasse quelque chose. Et puis là, les conversations vont bon train. Elles ne sont pas toutes d'un haut niveau, c'est vrai, mais pendant ce temps, je ne pense pas à ton père. Mon Dieu ! Tu as entendu ? Encore une voiture piégée qui a explosé. Ça ne va donc jamais s'arrêter ?

— Tu es très bien, maman. Je préfère cette coiffure-ci à la précédente.

Elle était sincère. Les reflets auburn de sa nouvelle coloration allaient bien avec le teint de sa peau et le vert de ses yeux. Derrière le voile d'inquiétude qui marquait ses traits, son

visage demeurait celui d'une femme à la cinquantaine épanouie, au charme discret mais réel.

Odette Glendale obligea sa fille à rester souper : des poireaux gratinés enrobés de jambon. C'était un plat dont elle raffolait. Elles décidèrent de ne pas regarder les infos. Au cours du repas, la conversation s'orienta vers la vie affective de Cynthia.

— Lorri vient en France à la fin du mois, maman, je te l'ai déjà dit. Nous partons ensuite à Londres retrouver des amies.

— Vous n'avez toujours pas de projet de vie commune ? Ça ne vous intéresse pas, tous les deux ?

— Nous avons chacun nos activités, tu sais. Il adore la vie qu'il mène tout comme j'aime mon travail. Ce n'est pas le genre de garçon qui reste longtemps à la même place. Il a toujours envie d'être là où il n'est pas…

— Vous n'êtes pas sûrs de vos sentiments ?

— La question n'est pas là. Nous en avons discuté ensemble et nous préférons rester ainsi.

— En tout cas, il me plaît bien, ce Laurent. Ton père l'apprécie également. Mais tu as raison, rien ne presse. Vous êtes encore jeunes,

après tout… Mange encore un peu de poireaux… Enfin, si vous décidez un jour de vous engager sur le même chemin, n'attendez pas trop longtemps pour avoir des enfants. Les années passent si vite…

— Qu'est-ce que tu racontes ? Tu es encore une jeunette, maman ! Et qui te dit que je veux des enfants ?

— Oh, je parlais, comme ça !… Mais je sais que ton père aimerait bien être grand-père.

Cynthia aida sa mère à débarrasser. Quand elle eut avalé la tisane qu'elle lui avait concoctée, il était vingt-deux heures passées. Son propre appartement était situé rue de la Colonie, près de la porte de Gentilly. Vu l'heure avancée, Odette Glendale refusa que sa fille rentrât à pied. Il était également hors de question de la laisser prendre le métro.

La Ford déposa Cynthia à quelques mètres de son logement. La jeune femme serra affectueusement sa mère et l'encouragea :

— Papa rentre lundi prochain. Plus que quelques jours. Tu verras, ça passera vite. Je viendrai vous rendre visite bientôt en compagnie de Lorri et de Keewat. Bonne nuit.

Cynthia composa son code d'accès et poussa la porte d'entrée. Elle traversa le hall sous la lumière de la veilleuse et gagna les boîtes aux lettres. La sienne était vide. *Qu'est-ce qui lui prend, à maman, de vouloir être grand-mère?* songea la scientifique avec un sourire. *Quand je vais raconter ça à Lorri... Tiens, je suis curieuse d'entendre ce qu'il va dire.* Cette idée la perturbait un peu. Avaient-ils déjà l'âge d'envisager de tels projets? Évidemment qu'elle n'avait rien contre les enfants... Lorri, papa? Cynthia, maman? Et au milieu, des tas de petits Saint-Pierre-Glendale? Elle éclata de rire. Soudain, une sourde angoisse gomma sa gaieté. Elle se retourna vivement.

— Ma fille, voilà que tu as des visions, murmura-t-elle en reprenant sa respiration.

Elle avait cru voir le reflet de quelqu'un dans la vitre. Une silhouette drapée d'un long manteau! Il devait s'agir d'un jeu d'ombres, évidemment.

Cynthia gravit rapidement l'escalier en jetant un coup d'œil par-dessus son épaule, et s'engouffra dans son appartement. Elle repéra immédiatement la lettre sur le sol. Elle alluma le plafonnier avant de la ramasser et

de renifler bruyamment. D'où venait cette odeur désagréable, tout à coup? Elle vérifia les semelles de ses chaussures. Apparemment, ce n'était pas une crotte de chien ou autre chose d'aussi peu ragoûtant. Elle se débarrassa de son manteau et pénétra dans la cuisine. La lettre, une publicité écrite sur un papier à la fibre grossière, vantait une collection privée de spécimens marins assez rares réunis au castel de Blackforge, dans le Connemara. D'après le texte, cette collection était unique. Elle comportait des représentants d'espèces ramenés des plus grands fonds. De plus, le castel semblait être le siège d'une nouvelle fondation écologique organisant des stages d'information sur les écosystèmes humides, comme les tourbières. Le prochain stage proposait une petite étude sur un oiseau, le lagopède des saules. La coïncidence était surprenante. N'allait-elle pas faire partie, dans quelques mois, de cette équipe européenne chargée de mesurer les effets bénéfiques des nouvelles dispositions prises par le gouvernement irlandais pour restaurer les zones naturelles?

Cynthia n'y avait pas prêté attention à la première lecture, mais elle se rendit compte que la lettre était en réalité une invitation à

son nom. On la conviait tout bonnement à participer à cette étude sur l'oiseau. Chose plus étrange encore, l'enveloppe ne présentait ni cachet ni timbre-poste.

— Jamais entendu parler, murmura-t-elle. Où ça peut bien être, Blackforge ?

Quoi qu'il en soit, la proposition de stage était loin d'être inintéressante. Le lagopède des saules était une espèce menacée en Irlande, précisément à cause du surpâturage des ovins. Moutons et brebis avaient été installés sur de grandes zones où poussait naturellement la bruyère, en bordure des tourbières. L'oiseau avait l'habitude d'y nicher, de s'y nourrir et de s'y cacher pour se protéger. L'élevage intensif, doublé d'une chasse devenue trop facile, avait fait disparaître des pans entiers de population. Le lagopède était en voie d'extinction dans ce pays. Cynthia avait eu en main de récents rapports de la commission européenne sur cette infraction commise contre l'environnement. Le gouvernement irlandais avait été mis en demeure de légiférer sur la question et de restaurer les habitats endommagés…

Oui, cette invitation était vraiment une curieuse coïncidence. Cynthia fronça les sourcils. Il y avait une espèce de plan rapidement

griffonné dans un coin, avec des noms à la consonance bizarre.

La jeune femme disparut dans la deuxième chambre, aménagée en bureau, et revint chargée d'un atlas géographique. Elle ne trouva pas la localité de Blackforge. *J'en parlerai demain à l'Institut,* pensa-t-elle. *Quelqu'un aura sans doute déjà eu vent de cette nouvelle fondation.*

En tout cas, de plus en plus de gens commençaient à s'investir dans la sauvegarde de l'environnement. C'était une excellente nouvelle.

Cynthia étouffa un bâillement. Elle se sentait vannée, tout à coup. Elle passa à la salle de bain, fit un brin de toilette et enfila un pyjama. En éteignant la lumière du hall, elle aperçut le clignotement du répondeur. Quelqu'un lui avait laissé un message.

« Ô Reine de mon cœur, tu es une fois encore à l'origine de mes pleurs. Si loin de toi, je ne pense qu'à toi... »

Même si la personne ne s'était pas identifiée, Cynthia la reconnut aussitôt. C'était Lorri, ce garçon qu'elle adorait, et qui vivait à Montréal. Par téléphone, Lorri lui adressait régulièrement ce genre de petits mots fleur bleue.

— Ô Roi de mon cœur, tu es toi aussi à l'origine de mes pleurs… Si loin de toi, je ne pense qu'à toi, murmura-t-elle en se couchant.

# 2

# Quartier Poplar

Nancy plaqua son visage sur la vitre et regarda à l'extérieur. Il faisait un temps de chien depuis plusieurs jours. En cette saison, que pouvait-on espérer de mieux ? Il y avait, au sein de ces bourrasques et de cette pluie battante, les prémices d'un hiver qui arrivait à grands pas. La voiture n'était pas garée très loin du journal, mais le temps de gagner la Morris, elle et Melaine seraient trempées jusqu'aux os. Parfois, les deux amies faisaient preuve d'une étourderie sans limites ; ce matin, elles avaient laissé le parapluie sur le siège arrière. Ah, c'était malin !

Afin de mieux voir dehors, Nancy appliqua les mains de chaque côté des yeux pour masquer les reflets des lampes au néon illuminant le hall. Comme d'habitude, la

circulation était infernale. Les véhicules se succédaient en chuintant sur le bitume totalement détrempé. Les passants, qui se pressaient sur les trottoirs de chaque côté de la chaussée, ne se risquaient pas à longer les caniveaux transformés en torrents, de peur d'être douchés.

Elle salua d'un geste d'encouragement un groupe de collègues qui s'engouffrait dans la porte tournante. Les cris et les protestations moururent, avalés par le vent.

Nancy frissonna et jeta un coup d'œil à sa montre. *Melaine, qu'est-ce que tu fabriques ?* Des pas résonnèrent dans l'escalier. Elle vit les jambes, puis la silhouette entière de son amie apparaître enfin.

— Salut, Pat ! lança Melaine en passant devant l'accueil.

L'hôtesse lui fit un petit signe de la main et répondit un « À demain ! » d'une voix apathique.

— Tu en as mis, du temps, se plaignit Nancy.

— Qu'est-ce que tu penses ? Si nous ne rappelons pas de temps à autre au patron que nous existons, jamais il ne songera à nous lorsque se présentera une occasion d'aller à l'autre bout de la terre. Beurk ! Tu as vu, dehors ?

— Oh oui ! Et nous allons devoir affronter l'averse sans parapluie...

— Ne me dis pas que tu l'as oublié ! Nancy, tu es une tête en l'air !

— Quoi ? Espèce de... Oh ! Je préfère me taire. On y va !

Elles s'emmitouflèrent du mieux qu'elles purent en remontant le col de leur blouson et, après avoir aspiré une grande goulée d'air, se ruèrent dans la tourmente.

La pluie les fouetta. Un millier d'aiguilles leur transperçaient les joues. Elles gagnèrent péniblement le *London Bridge Hospital*, devant lequel était garée la Morris. Nancy sortit la télécommande de sa poche d'une main fébrile et actionna l'ouverture à distance. Les deux amies se glissèrent à l'intérieur du petit véhicule en poussant un « ouf ! » de soulagement.

— Temps de cochon ! pesta Melaine en s'essuyant. Avec ce vent, le parapluie ne nous aurait été d'aucune utilité. Il y a de quoi s'envoler !

Nancy mit en route le moteur et activa la ventilation. Les vitres étaient déjà couvertes de buée. Mieux valait attendre un peu avant de se risquer dans la circulation. Elle en profita pour réajuster son maquillage.

— Ça ira comme ça, jugea-t-elle en fourrant mascara et rouge à lèvres dans son sac. Ce soir, c'est la finale de *Quand je serai une Star*. Je ne veux pas la rater.

Melaine souffla. Elle ne comprenait pas que l'on puisse autant se passionner pour la téléréalité. Le côté racoleur de ce genre d'émissions lui déplaisait profondément.

Nancy lança la Morris sur l'avenue. Elle longea les docks puis pénétra dans le quartier de Poplar. L'appartement était situé au dernier étage d'un immeuble restauré. Ce n'était pas très grand, mais une des fenêtres donnait sur la Tamise, quelques centaines de mètres plus loin. Par chance, elle trouva un stationnement libre à proximité de l'entrée. Melaine et Nancy gravirent rapidement l'escalier après avoir pris le courrier. Il n'y avait pas grand-chose : une facture perdue au milieu d'une liasse de prospectus.

Melaine dissimula sa déception. Laurent et Keewat ne leur avaient adressé qu'un tout petit courriel depuis qu'elles avaient fait leur connaissance en Bretagne, l'été dernier. Elle aurait bien aimé quelque chose de plus… substantiel. Une lettre, par exemple. En se quittant après leur mésaventure avec les

Immondes[1], ils s'étaient promis de se revoir à Londres. Les deux jeunes Canadiens avaient laissé sous-entendre qu'ils seraient peut-être en mesure de leur exposer leur nouveau projet. Ils étaient ainsi faits, Lorri et Keewat. La tête toujours pleine d'idées !

Melaine se sentait irrésistiblement attirée par Laurent. C'était un sentiment qu'elle gardait secret. De toute manière, il avait déjà une petite amie, Cynthia, avec qui il paraissait s'entendre à merveille. Alors, pas question de jouer les trouble-fête, ce n'était pas son genre.

— Qu'est-ce qu'on mange, ce soir ? demanda Nancy en ouvrant la porte et en se ruant sur la commande du chauffage.

— J'imagine que dans une demi-heure, tu vas te planter devant la télé. Alors, ça sera des sandwiches. Il reste un peu de jambon et, hier, j'ai acheté une salade. Mais je te préviens, c'est ton tour de corvée. Moi, je prends une douche. Dépêche-toi, tu n'as plus que vingt minutes pour les préparer.

1. Voir *Le sanctuaire des Immondes*, du même auteur, dans la même collection.

Melaine s'essuya vigoureusement en sortant de la douche. Elle enfila un peignoir puis se démêla les cheveux en quelques coups de brosse. Les bruits de la télé lui parvenaient, couverts par les vocalises de Nancy chantant à tue-tête. Melaine claqua du bout du pied la porte de la salle de bain. Le calme revint aussitôt, mais un ploc ploc bizarre perçait encore le silence. *Zut! Je n'ai pas assez serré le robinet d'eau chaude,* pensa-t-elle en se promettant de remplacer le joint d'étanchéité incessamment. La jeune femme marcha vers la cabine. La lampe du plafonnier se mit à clignoter, puis à baisser d'intensité avant de reprendre son éclat normal. *Ce maudit vent!*

Melaine serra de toutes ses forces la commande d'eau chaude, et fit demi-tour. En passant devant le miroir, elle étouffa un cri. Son cœur se mit à battre la chamade. Elle regarda vivement autour d'elle avant de revenir lentement sur ses pas. Rien! Il n'y avait rien! Un moment, elle avait cru voir quelqu'un, là, dans la glace, qui la regardait, le visage à moitié dissimulé par une grande capuche. Melaine se secoua, se frotta les yeux, puis fixa à nouveau son reflet. Non. C'était bien elle qui était là, en face. Personne d'autre! Elle éteignit la lumière et sortit.

— Tu en fais, une tête ! lâcha Nancy en la dévisageant. Ne me dis pas que tu es malade.

— Un peu de fatigue… ça va passer. Où sont les sandwiches ?

— À la cuisine. Je t'ai servi un cola.

Mel se força à assister à la finale de l'émission. La vision de tout à l'heure continuait vaguement à la perturber. Au bout d'une heure, cependant, elle se sentit rassurée. Elle jeta un regard à la dérobée vers Nancy. Cette dernière avait du mal à retenir ses larmes. La candidate victorieuse venait d'être désignée par le public, une certaine Claudie qui, le visage enfoui au creux des mains, pleurait de bonheur.

— Elle le méritait, dit Nancy d'une voix chevrotante tandis que défilait le générique de fin. Je vais me coucher. Tu te rends compte, elle a gagné cent mille livres ! Il nous faut plus de deux ans à nous deux pour réunir autant d'argent !

— Oui, mais elle sait chanter, elle ! railla Melaine en marchant vers sa chambre. N'oublie pas d'éteindre les lumières et de verrouiller la porte. Bonne nuit.

Elle avait à peine dégagé le couvre-lit qu'elle entendit Nancy crier.

— Mel, il y a une lettre sous la porte !

Les deux amies se dévisageaient. Nancy tenait la lettre entre ses mains. Il fallait un code d'accès pour pénétrer dans le hall et utiliser l'escalier. Qui avait glissé ce pli chez elles ?

Melaine ouvrit la porte et jeta un coup d'œil sur le palier. Il n'y avait personne. L'appartement situé en face était occupé par madame Calltree, une septuagénaire qui avait perdu son mari depuis cinq ans. Elle devait être couchée depuis longtemps. En dessous, il y avait les Paddington, un couple de jeunes mariés, et aussi monsieur et madame Strobbe, des retraités. Bob et Steven, deux quadragénaires qui vivaient ensemble, occupaient le rez-de-chaussée. L'appartement de Nancy et Melaine donnait sur le local de service où on rangeait les poubelles. L'un de ces locataires aurait donc introduit cette lettre sous leur porte ?

Melaine fronça les narines. Une odeur désagréable flottait dans l'air. Elle aperçut le vide-ordures, resté entrouvert. Comme ça lui arrivait souvent, madame Calltree avait dû mal le refermer.

— Je décachette ? demanda Nancy.

— Évidemment !

Mel tira la porte derrière elle et fit coulisser le verrou de sécurité. L'enveloppe était constituée d'un papier ocre, épais, à la fibre grossière, tout comme la lettre que Nancy tenait maintenant entre ses doigts. La feuille était recouverte de caractères tracés à l'encre noire. Si c'était une publicité, le promoteur n'avait pas lésiné sur les moyens. Ce papier n'était pas d'un type courant. Elles lurent toutes les deux : « Melaine Granger et Nancy Field, la forteresse de Blackforge, chef-d'œuvre médiéval, vous attend… » Il s'agissait bien d'un encart publicitaire vantant la visite du castel de Blackforge, dans le Connemara, sur la côte irlandaise. Elles n'en avaient jamais entendu parler. L'invitation n'était pas signée.

— Tu crois que c'est un truc de William ? dit Nancy en faisant allusion à leur patron.

— Ça m'étonnerait. Comment aurait-il glissé ça sous notre porte ?

— Je ne sais pas… Il a peut-être rencontré un des locataires, en bas, et en aura profité pour lui demander de nous la remettre…

— Et il ne nous en aurait pas parlé aujourd'hui au journal ?

— Il a peut-être simplement oublié...

— Ça ne pouvait pas attendre demain, tu crois ? Qu'est-ce que c'est que cette histoire ? Regarde bien, l'encre est à peine sèche. Ce n'est pas une photocopie. Ce truc nous a été spécialement adressé. Où ça se trouve, Blackforge ?

— L'atlas géographique ! Je vais le chercher.

Intriguées, elles se penchèrent avec attention sur la carte de l'Irlande, situèrent le Connemara, mais ne parvinrent pas à localiser le lieu où, selon l'invitation, se dressait un chef-d'œuvre du passé.

— Ces cartes ne sont pas assez précises, jugea Nancy. Mais j'y pense, pourquoi ne pas essayer d'en savoir plus sur Internet ? Il doit bien exister un site consacré à cette forteresse si l'on se fie à cette description tapageuse, non ?

Les clics de la souris les emmenèrent à une foule de liens n'ayant visiblement pas grand-chose à voir avec le castel de Blackforge. Melaine et Nancy allaient renoncer quand une nouvelle fenêtre s'ouvrit. Une photo apparut, montrant la silhouette crénelée de

hauts murs se découpant sur le soleil couchant. Un titre se matérialisa : « Visitez le castel de Blackforge ».

— Eh bien voilà ! triompha Nancy. Il fallait juste un peu de patience. Dis donc, il a l'air chouette, ce château. On doit pouvoir y faire un sacré papier !

— Clique sur ce lien, en bas à droite, proposa Melaine.

Une carte se dessina.

— C'est du charabia, reprit-elle. Quels drôles de noms !

— On dirait du gaélique, constata Nancy. En tout cas, celui de Blackforge y figure bel et bien, et ce gros point doit représenter Galway. Il n'y a qu'à suivre les routes qui y sont tracées. J'imprime ça tout de suite.

— Bonne idée. Moi, je vais me coucher. Demain, crois-moi, si c'est une blague de Will, il va devoir s'expliquer.

# 3

# Tom Ndzouri

L'aérodrome de Weston était situé à quelques kilomètres de Dublin, en Irlande. Tom Ndzouri avait décidé d'y poser son Twin Bonanza avec l'espoir de faire un peu de commerce, histoire de se renflouer les poches. En quittant le Kenya, Tom n'avait pas établi d'itinéraire précis. Il avait tout simplement prévu qu'il lui faudrait, de temps en temps, échanger ses talents de pilote contre de l'argent comptant. C'était une des conditions à respecter s'il voulait atteindre l'objectif qu'il s'était fixé : faire le tour du monde à bord de son avion.

Le Twin Bonanza était un appareil ancien. Les premiers modèles étaient sortis de l'usine Beechcraft en 1951. On les considérait alors comme la fine pointe de la technologie dans

l'aviation légère. Équipés de moteurs *Lycoming* développant trois cent quarante chevaux chacun, ils pouvaient emmener huit passagers à plus de deux cent vingt nœuds.

L'appareil avait longtemps dormi dans le hangar d'un riche propriétaire kenyan avant d'être proposé à la vente. Tom avait acheté l'épave pour une somme relativement modique, puis s'était attaqué à sa remise en état. Il était venu à bout de ce défi grâce à ses talents de mécanicien, mais aussi grâce au « système D », indispensable pour beaucoup d'Africains dès qu'il est question d'entreprendre le moindre projet. Ensuite, le défi relevé, Tom s'était envolé vers l'Égypte, avait longé les pays du Maghreb, traversé l'Espagne et le Portugal, puis rejoint la Bretagne.

C'était précisément dans cette région de France qu'il avait vécu une sombre aventure : il avait été envoûté. Tom était Africain et gardait en lui certaines peurs ancestrales. Cependant, comment aurait-il pu croire que de telles pratiques existaient encore aujourd'hui en Occident ? Tout cela avait été tellement surréaliste qu'il se demandait parfois s'il n'avait pas été victime d'un mauvais rêve. Mais il n'en était rien, car au cours de cette histoire, il avait fait la connaissance de jeunes gens avec qui, après bien des péripéties, il s'en était finalement sorti. Tout cela était donc vrai. Depuis, ces jeunes gens étaient devenus des amis, et ils s'étaient quittés en se promettant de se retrouver tous à Londres. Cette rencontre approchait d'ailleurs à grands pas. Laurent et Keewat, deux de ces nouvelles connaissances, lui avaient même suggéré d'intégrer la petite fondation qu'ils avaient l'intention de créer. Cette proposition, qui alliait écologie et voyages, ne remettait pas en cause son propre projet. Il n'avait donc pas dit non.

En arrivant en Irlande, pays qui figurait sur sa feuille de route, Tom Ndzouri avait fait sa première escale à Weston, où il était plus aisé de se poser qu'à Dublin. Il avait alors fréquenté les bars du coin. Quel que soit le pays, ces officines constituaient d'excellents lieux de rencontre. On y croisait des gens capables de vous renseigner sur tous propos. C'était de cette manière qu'il avait rencontré Jeff, un chauffeur de taxi. Jeff lui avait déclaré que les nombreux hommes d'affaires qu'il transportait à bord de son véhicule cherchaient régulièrement à joindre des villes plus éloignées comme Waterford, Cork, Limerick ou Galway. Pourquoi, dans ces conditions, ne

pas s'associer ensemble et utiliser l'avion ? Tom n'avait pas hésité longtemps avant d'accepter l'entente. Grâce aux facilités accordées par l'État irlandais, le système avait fonctionné immédiatement, et de manière efficace.

La région était enchanteresse. Évidemment, le beau temps n'était pas toujours de la partie, loin de là. Pluies, crachins et brumes obstruaient souvent le ciel. Tom devait alors faire appel à toute sa vigilance pour mener ses clients à bon port. En revanche, dès l'apparition du soleil, le sol se transformait en un splendide jardin, le vert panaché des forêts se détachant sur celui, plus uniforme, des prairies où broutaient d'innombrables troupeaux de moutons. Lorsque le Twin Bonanza virait sur l'aile, au-dessus des terres du Connemara, c'était la courtepointe brune et mauve des landes, parsemées de lacs argentés, qui prenait la relève. Depuis qu'il avait quitté Nairobi, Tom pouvait dire qu'il en avait vu, de jolies choses. La terre, contemplée du ciel, était décidément un spectacle qu'on ne pouvait oublier.

En cette fin d'après-midi, Tom revenait de Waterford. Deux représentants de commerce avaient souhaité s'y rendre. Le géant annonça son intention d'atterrir au centre de Weston,

puis fit accomplir une large courbe à l'appareil. La piste se profila à travers le pare-brise, à un kilomètre de distance. Le Twin Bonanza toucha le sol et finit par s'immobiliser.

Tom Ndzouri coupa le contact avec une grimace. De la pluie, toujours de la pluie ! Avant de gagner l'Europe, il avait survolé le nord de l'Afrique. Sur des régions entières s'étendaient des déserts arides. Le dixième de l'eau qui tombait ici aurait suffi à transformer ces déserts en édens, ce qu'ils avaient d'ailleurs été, il y a plusieurs milliers d'années. *Après tout, n'est-ce pas en sa diversité que réside la beauté de la planète ?* C'est ce que pensait Tom. Mais à condition de ne pas raisonner en terme d'économie. Dans ce cas, diversité devenait disparité. Sauf si l'on disposait de pétrole. Certains déserts en regorgeaient, tandis que d'autres ne pouvaient en offrir la moindre goutte. L'unique richesse de ces contrées résidait alors dans les hommes qui les habitaient et dans les capacités qu'ils avaient su développer pour y survivre. Face à l'Occident, ces richesses n'étaient malheureusement que bien peu monnayables.

Tom mit pied à terre et déploya son énorme corps. Deux mètres dix, cent quarante kilos et une force de gorille. Il aurait pu être champion

de lutte toutes catégories. Il se dirigea vers le bâtiment d'accueil, plus précisément vers le bar, où l'on servait de savoureuses bières. L'Irlande, il n'y avait pas à dire, possédait une sérieuse réputation brassicole. De nature amène et joviale, le Kenyan n'avait pas tardé à se faire des amis sur place. Grace O'Malley, qui régnait sur son comptoir comme sur un champ de bataille, l'accueillit avec plaisanterie, couvrant la ballade irlandaise qui résonnait dans la pièce :

— Mais on dirait qu'il a su retrouver son chemin, notre *Blackie* ! Alors, tu ne t'es pas encore perdu, avalé par nos brumes ?

— L'odeur de ta bière, ma guerrière[2]. Tu sais que je la repérerais à mille lieues, les yeux bandés ! Sers-m'en une bien frappée, mon amie. Jeff est passé ?

— Tout à l'heure. Il y a ça pour toi. Quelqu'un l'a déposé dans son taxi. Mais Jeff n'est pas fichu de se rappeler qui.

Tom Ndzouri s'empara de l'enveloppe que lui tendait Grace O'Malley.

— J'ignore où ce truc a traîné, reprit la barmaid, mais il pue drôlement !

2. Clin d'œil à Grace O'Malley, figure légendaire d'Irlande (1560-1600) surnommée la reine guerrière lors d'affrontements avec la flotte anglaise.

— Pouah ! Tu as raison, reconnut l'Africain en reniflant le papier épais de l'enveloppe sur laquelle son nom apparaissait à l'encre noire.

Cette enveloppe contenait une lettre pliée. C'était une demande de prise en charge entre un lieu nommé Blackforge et Dublin. On lui proposait de rapatrier trois passagers vers la capitale irlandaise. Une date et une heure étaient mentionnées. Son prix serait le leur.

— Blackforge, tu connais ? demanda le géant.

— Jamais entendu parler ! laissa tomber Grace O'Malley en secouant la tête.

— Moi, si, intervint un consommateur qui dégustait une Guinness. Mais il n'y a personne là-bas. C'est une ruine. Une forteresse énorme, à l'abandon depuis des siècles. Elle se trouve dans le Connemara, dans la région de Galway, vers Salthill, si mes souvenirs sont bons.

— Et il y a un aérodrome, dans ce coin ?

— Alors là… Aucune idée !

Tom Ndzouri glissa le message au fond de sa poche. Une commande, c'était toujours bon à prendre. Pas question de faire le difficile. Tout ce qu'il espérait, c'était que d'ici là, ses clients aient adopté une nouvelle eau de toilette.

# 4

# Rendez-vous à Blackforge

Cynthia aimait se rendre chaque matin à l'Institut. Son salaire n'était certes pas mirobolant, mais cet inconvénient était largement compensé par la satisfaction qu'elle retirait de ses recherches. Son opinion était la suivante : dans les décennies à venir, la compréhension du milieu et les ajustements qui en découleraient pour remettre l'espèce humaine à sa vraie place au sein de la nature seraient capitaux pour la pérennité de l'humanité. Selon elle, sans cette volonté de mieux savoir qui il est, de réapprendre à respecter le milieu dans lequel il vit, l'être humain était irrémédiablement condamné.

En dehors de son travail, où la plupart des gens qu'elle fréquentait étaient des

passionnés de nature, elle avait toujours été choquée par l'irresponsabilité des jeunes de son âge. Lorsqu'il était question d'environnement et de respect de la Terre, tout le monde était d'accord… à condition de ne pas avoir à supporter de contraintes, toujours bonnes que pour les autres. Par exemple, la jeune femme se souvenait de ses copains et copines de lycée. Motivés par leur professeur de sciences naturelles, tous se disaient prêts à s'investir dans des missions de sauvegarde de la flore ou de la faune. Pourtant, chacun avait fait des pieds et des mains auprès de ses parents pour obtenir un scooter. Ah, le fameux scooter ! Symbole de liberté… Ces engins, à moteur deux temps, que l'on s'empressait de gonfler ou de trafiquer, se révélaient du même coup extrêmement polluants. Et combien pétaradants ! Oubliée, la protection de la nature ! Bien peu s'étaient imposés de rouler intelligemment par respect pour l'environnement. Cynthia avait fait partie du lot, elle le reconnaissait. C'était avant qu'elle comprenne que, multipliés des millions de fois, ces petits comportements déraisonnables, ces gouttes de pollution de prime abord anodines, aboutissaient fatalement à des torrents dévastateurs. Il n'était pas question de se

priver de folles escapades sur ces engins, mais simplement de les utiliser dans le respect de l'espace… et des autres.

Aujourd'hui, rien n'avait véritablement changé. Lorsque Lorri lui parlait de son pays, ses observations étaient un peu les mêmes concernant les deux-roues et les motoneiges. La production d'électricité dont s'enorgueillissait le Québec, quant à elle, avait été rendue possible par la réquisition de territoires entiers que l'on avait noyés. Lorri prédisait également que cette production atteindrait ses limites dans un futur proche, et qu'elle ne pourrait plus, alors, satisfaire notre boulimie énergétique.

En réalité, la vie de tous les jours, dans la civilisation occidentale, qui engloutit quatre-vingt pour cent des ressources mondiales, est ponctuée d'une multitude de comportements irresponsables. Et dire que cette vie servait d'exemple pour les nations telles que la Chine ou l'Inde, en plein développement économique…

Cynthia avait vu en Lorri le reflet de ses propres aspirations. C'était sans doute pour cette raison qu'elle s'entendait à merveille avec lui. Ni l'un ni l'autre ne se prétendait irréprochable, loin de là. Mais au moins, leur

travail leur apparaissait comme un bon moyen de se rattraper.

La jeune femme déplia devant elle la lettre qu'on lui avait adressée la veille. Depuis, elle n'avait pas manqué d'interroger les occupants de son immeuble. Personne d'autre n'avait reçu cette invitation. Quelqu'un l'avait forcément glissée sous sa porte. Qui ? Un colporteur ? Ce qui était certain, c'est qu'aucun des collègues à qui elle avait montré cette invitation, par la suite, n'avait entendu parler de cette mystérieuse collection ni de cette non moins mystérieuse fondation. Fait étrange, il n'y avait pas de numéro de téléphone où l'on pouvait joindre un quelconque responsable. Tout cela l'intriguait. Elle allait donc s'accorder deux semaines de congés, et profiter de ces quelques jours, avant que Lorri et Keewat ne la rejoignent, pour faire une virée au Connemara et s'occuper de ces pauvres lagopèdes. Ce serait là un bon moyen d'avancer dans le rapport qu'elle devrait présenter, d'ici quelques mois, aux délégués de la commission européenne. Elle avait lu que de nouvelles liaisons aériennes existaient vers Galway. Ça devait être un jeu d'enfants de s'y rendre. Après avoir discuté du projet avec son patron, elle réserva un billet en ligne.

— De nos jours, les reportages inédits sont rares, les filles. Je n'ai jamais lu un papier sur cette forteresse, et si vous voulez mon avis, elle mérite que l'on s'y intéresse de près. Les gens qui l'habitent ont probablement eu connaissance de votre spécialité par l'intermédiaire de l'un de nos articles parus dans *Oldstones*.

William Crawford, le rédacteur en chef de la revue pour laquelle travaillaient Melaine et Nancy, semblait flairer la bonne affaire.

— Mais je vous le répète, je ne suis pour rien dans cette surprenante invitation.

— Cela signifie, Will, que vous nous envoyez dans le Connemara ?

— Exact ! Et sans plus tarder, avant que la concurrence ne nous coupe l'herbe sous le pied. Ficelez-moi un bon reportage sur Blackforge et ses habitants.

— En cette saison, grimaça Nancy, nous n'allons pas rigoler. Il doit pleuvoir sans arrêt, là-bas.

— Tant mieux ! Vous ne serez pas dépaysées... Joanne s'occupera des formalités. Mais attention, hein ! Pas question d'aller loger au palace du coin. D'ailleurs, faites en sorte que

l'on vous offre l'hospitalité. Ce sera ça de moins à débourser.

— Toujours aussi généreux, railla Melaine.

— Qu'est-ce que vous voulez, les temps sont durs pour tout le monde. Allez, au boulot !

Décollage et atterrissage compris, le vol vers Salthill ne devait pas durer plus d'une heure et demie. Tom Ndzouri s'était procuré une carte d'état-major. Il y avait repéré la bourgade, puis, plus loin dans l'intérieur des terres, le site de Blackforge. Un petit aérodrome y était mentionné. S'il se fiait à la légende de la carte, il devait s'agir d'un terrain très peu fréquenté, aux installations rudimentaires.

Deux jours s'étaient écoulés depuis que Grace lui avait remis la commande. Le ciel, s'il restait sombre et encombré, avait mis fin à ses pleurs, mais la couleur des nuages laissait présager que ce répit ne serait que de courte durée.

— J'espère que mes mystérieux clients seront à l'heure, marmonna le géant en écarquillant les yeux pour repérer le terrain d'aviation.

Le rendez-vous était fixé à seize heures trente, soit dans cinquante minutes. Il aurait donc un peu de temps pour faire souffler les moteurs après s'être posé. Si on ne le faisait pas trop attendre, il devrait être de retour à Weston vers dix-huit heures. Jeff se chargerait alors de conduire en taxi les passagers vers leur destination définitive, dans la capitale.

Sous le ventre du Twin Bonanza, les landes et les collines se succédaient, avec, çà et là, quelques petits hameaux aux maisons blanches. La ville de Galway et sa banlieue n'étaient plus visibles. Au-delà du pare-brise, vers l'ouest, l'océan Atlantique soulignait l'horizon à perte de vue.

— Où est-il, ce fichu terrain ? gronda Tom Ndzouri.

Une percée soudaine du soleil illumina la région. Tom repéra un baraquement à deux heures, au pied d'un versant où affleurait la roche.

Le géant fit accomplir un virage à son appareil, puis diminua les gaz. Le bimoteur plana jusqu'à la piste, sur laquelle il finit par se poser en cahotant. Une minute plus tard, le contact était coupé.

— Drôle d'endroit pour un rendez-vous, jugea le colosse.

De loin, le bâtiment en pierre qui jouxtait l'aire de stationnement avait piètre allure. Tom mit pied à terre en remontant la fermeture éclair de son blouson et se dirigea vers l'accueil.

C'était une construction basse, de petites dimensions, avec un toit de tôle ondulée et une façade blanc sale. Tom Ndzouri jeta un coup d'œil à travers la vitre de la porte avant de se décider à entrer. Il devina immédiatement que les lieux étaient abandonnés. La poussière et la crasse, qui s'étaient accumulées sur le carrelage, rendaient indéfinissable la couleur de ce dernier. Des graffitis de toutes sortes ornaient les murs. Les quelques meubles qui subsistaient, une table basse bancale, des chaises branlantes, un comptoir aux planches moisies, ne pouvaient servir que de bois à brûler. Si un jour cet aérodrome avait été fréquenté, ce devait être il y a bien longtemps.

— Il y a quelqu'un ? cria le géant sans grande conviction.

Seule la porte, mal refermée, battant sous les sautes de vent, lui répondit.

Le colosse donna un coup de pied dans une vieille timbale cabossée gisant sur le sol. Cela provoqua un tintamarre d'enfer. Il regagna l'extérieur et fit le tour de l'habitation.

À quelques pas, un panneau indicateur désignait le nord. S'il fallait en croire les lettres à moitié effacées qui l'ornaient, c'était dans cette direction que se trouvait le castel de Blackforge. *Je n'ai plus qu'à y aller,* décida le Kenyan. *Après tout, mes clients m'attendent peut-être là-bas…*

Cynthia avait pris le bus vers Salthill en sortant de l'aéroport de Galway. Le matin même, elle s'était rendue à Lorient, en Bretagne, pour une petite visite d'inspection à bord du bateau de Lorri. Elle avait pu constater que tout allait bien sur la Morrigane. La jeune femme avait ensuite pris l'avion assurant la liaison vers le Connemara. À Salthill, elle avait loué un véhicule, sans oublier, au préalable, de se munir d'une carte des environs. Le castel de Blackforge y figurait, perdu, semblait-il, dans les monts du Connemara. Fait étrange, la carte ne mentionnait que des ruines. Cynthia supposa que le musée en question, abritant la fondation, avait été construit récemment. Cela expliquerait l'ignorance des gens à qui elle s'était adressée pour

en savoir davantage. Elle imagina que la propriété avait été mise en vente, et que son acquéreur, un richissime naturaliste, y avait fait des travaux de rénovation pour y loger sa collection de spécimens marins et vouer son temps à l'écologie. C'était sans doute à des fins publicitaires qu'il l'avait contactée, après avoir lu son nom, et celui de l'Institut, dans une des revues spécialisées pour lesquelles il lui arrivait de rédiger des articles. Elle ne voyait pas d'autres explications.

Cynthia ne regrettait pas son voyage. Le paysage qui défilait par-delà les vitres de la Rover éclatait d'une beauté sauvage. C'était la première fois qu'elle mettait les pieds en Irlande. La région ne pouvait cependant pas être qualifiée de verte contrée. Les fougères aux feuilles ocre, mêlées aux graminées, avaient subi l'assaut de l'automne. Elles se démarquaient sur le brun violacé des lichens et le gris de la pierre. Ces étendues, broutées par moutons et brebis, laminées par les vents salés, étaient traversées çà et là par des armées de résineux dont les cimes accrochaient les brumes. Au milieu de ce paysage se trouvaient des écosystèmes d'une richesse incroyable : les tourbières. Cynthia avait hâte de les étudier de plus près.

Ces zones naturelles apparaissaient généralement au sein de contrées au climat humide, froid ou tempéré. Les plus grandes étaient en Écosse, dans le marais des Peatlands. Il y en avait également beaucoup en Angleterre. Plus à l'est, on en rencontrait en Allemagne, en Pologne, en Autriche et dans les pays scandinaves. Ces tourbières n'étaient pas rares non plus en Amérique du Nord : aux États-Unis, au Canada… et donc au Québec. Cynthia souhaitait pouvoir un jour explorer ces dernières, au pays de Lorri.

La scientifique s'était déjà beaucoup documentée sur le sujet. Les tourbières résultent de la décomposition des végétaux dans l'eau. Suivant la masse initiale de ces végétaux, la profondeur d'enfouissement, la température, un nouveau matériau se crée : la tourbe. La tourbe est un véritable concentré de carbone. Le gaz carbonique, un gaz à effet de serre formé au cours de la décomposition, s'y retrouve piégé. Comme les tourbières naissent à l'intérieur de zones humides, à la flore diversifiée, elles deviennent de riches écosystèmes. Il en existe même qui prennent naissance au cœur d'anciennes vallées glaciaires, lors de la fonte des glaces. Des débris d'animaux et de végétaux de ces

époques lointaines peuvent y être ensevelis. Analyser ces débris permet de retracer l'histoire biologique de la contrée où ils ont été récoltés, ce qui est loin d'être inintéressant.

Autour de ces écosystèmes peuvent en surgir d'autres. Tous sont interdépendants. Les landes à bruyère, terres de prédilection du lagopède des saules, que Cynthia se préparait à étudier, en étaient un exemple. En Irlande, des centaines d'hectares de ces terres à bruyère avaient été transformés en pâturages mettant en péril l'existence même du lagopède. De tels désastres survenaient chaque fois que l'on rompait un équilibre au sein de la nature. L'Irlande n'était pas un cas isolé, Cynthia le savait. Partout, sur la planète, des inconscients bouleversent les règles naturelles pour en retirer du profit. Dans son propre pays, en France, les cours d'eau étaient dans un état lamentable à cause des substances chimiques qui y avaient été déversées durant des années sous l'étendard de l'agriculture intensive.

La jeune femme reporta de nouveau son attention sur le paysage. Le ciel donnait ici l'impression de s'unir à la terre. Était-ce à cette particularité que l'Irlande devait sa réputation de bâtisseuse de légendes ?

La route se mit à grimper. Quelques kilomètres plus loin, Cynthia longea une zone à l'herbe rase, bordée d'une habitation en piteux état. Elle devina qu'il s'agissait d'un petit aérodrome. Un bimoteur léger y était garé. *Au moins, le coin est habité,* pensa-t-elle en appuyant sur la pédale de frein.

La Française descendit de son véhicule et marcha vers la porte d'entrée. Une des vitres manquait.

— J'ai conclu trop vite, marmonna-t-elle.

Elle avait compris que, mis à part les loirs et les rats, personne ne vivait dans cette maison. Pourtant, l'avion qu'elle apercevait par une des fenêtres attendait bel et bien de l'autre côté.

Cynthia posa les yeux sur la timbale bosselée trônant au milieu de la pièce. Elle pensa qu'à la quantité de bosses qui la déformaient, il devait être possible de déduire le nombre de visiteurs passés dans la pièce. Cette timbale était trop bien exposée pour résister à la tentation de frapper dedans. Cynthia se décida à entrer.

— Il y a quelqu'un ? Je cherche le castel de Blackforge. Pouvez-vous me renseigner ?

À l'extérieur, des corneilles lui répondirent en croassant.

— Pas la peine de s'éterniser..., murmura-t-elle.

Cynthia sortit à l'air libre. Elle n'était pas une spécialiste en aéronautique, mais l'allure de l'appareil, posé sur le terrain, ne lui était pas inconnue. Où avait-elle déjà vu un avion semblable ? La jeune femme aperçut un poteau indicateur en regagnant la voiture.

— Black... forge, lut-elle en plissant les yeux.

Le chemin s'éloignait de la route pour disparaître à l'angle d'un bois d'épicéas.

Cynthia mit le contact, puis avança au ralenti dans la direction indiquée. Le bitume céda rapidement la place à une terre caillouteuse, sillonnée d'ornières, mais malgré tout praticable. Mieux valait cependant éviter de s'aventurer au milieu des flaques pour ne pas risquer de rester embourbée.

La scientifique parcourut ainsi un bon kilomètre avant de distinguer, à travers le pare-brise perlé de pluie, la silhouette d'un homme marchant sur l'accotement. *Voilà quelqu'un qui pourra sans doute me renseigner*, pensa-t-elle en ralentissant.

Au son de la voiture qui approchait, le promeneur se retourna. Cynthia Glendale écarquilla les yeux. Était-ce possible ?

Comment Tom Ndzouri pouvait-il se trouver ici, dans ce coin perdu ? Un déclic se fit soudain dans son esprit. L'avion qu'elle avait aperçu, tout à l'heure, devait être le sien. Les pneus de la Rover crissèrent sur le gravier lorsqu'elle freina brutalement.

— Tom ! cria la jeune femme en mettant pied à terre. Qu'est-ce que tu fais ici ? C'est extraordinaire !

Le Kenyan, figé par la surprise, ouvrit la bouche.

— Allons ! poursuivit Cynthia, en imaginant que le colosse ne l'avait pas reconnue, ne me dis pas que tu m'as déjà oubliée !

— Par mes ancêtres kikuyus ! Cynthia !

— Oui ! Cynthia ! Cette rencontre mérite une accolade, pas vrai ?

Ils s'embrassèrent chaleureusement.

— Tu as peut-être vu mon Twin Bonanza, en montant ? commença le géant. J'ai des clients à ramener à Dublin.

En quelques mots, Tom Ndzouri raconta la vie qu'il avait menée depuis leur rencontre en Bretagne. La jeune femme étala à son tour les raisons de sa présence.

— Il y aurait donc un musée, dans ce coin perdu, et des gens qui s'intéressent à la nature ? s'étonna Tom. Si j'en juge par la route

qui y mène, ce musée ne doit pas être très fréquenté !

— J'ai pourtant reçu une invitation. Il n'y a pas d'erreur, c'est bien au castel de Blackforge que l'on m'attend. Je t'emmène, si tu veux !

— Ce n'est pas de refus. L'Irlande, c'est loin d'être le Kenya. Toute cette humidité va finir par me ronger les os.

Le géant s'apprêtait à s'asseoir dans la Rover lorsqu'un second bruit de moteur retentit au loin.

— Ma parole, si ça continue, il va y avoir un bouchon de circulation ! ironisa-t-il.

Ils attendirent avec curiosité que le véhicule les dépasse. Soudain, le petit tout-terrain freina brusquement à leur hauteur. Ses occupants bondirent à l'extérieur.

— Cynthia ! Tom ! hurlèrent de concert Melaine et Nancy. Ce n'est pas croyable ! Qu'est-ce que vous faites ici ?

— Je vous renvoie la question, les filles ! répliqua la scientifique, tout aussi étonnée de cette rencontre. Attendez… Ne me dites pas que vous allez au castel de Blackforge ?

À la réponse qui suivit, l'incrédulité la plus totale apparut sur le visage des quatre compagnons.

# 5

# Une absence inexpliquée

*25 novembre...*

La première neige commençait à recouvrir le sol. Laurent Saint-Pierre la regardait tomber en petits flocons qui venaient s'agglutiner sur la vitre. Peu importe le temps qu'il faisait dehors, c'était une position qu'il affectionnait. Il restait ainsi de longues minutes, les yeux dans le vague, perdu dans des pensées lointaines. Lorri était rêveur, souvent à vouloir être là où il n'était pas...

Le Vieux-Montréal avait retrouvé sa tranquillité. L'affluence de la saison chaude avait été remplacée par ce vide qui suit l'été indien, lorsque les touristes regagnent leurs contrées. Certains d'entre eux, peut-être, ou d'autres, reviendraient à la fin de l'année. Pour la glace

et la neige ; pour les lumières et la fête… Les Québécois étaient souvent décrits comme des gens qui avaient apprivoisé l'hiver et qui, malgré le froid, étaient passés maîtres dans l'art de créer de l'ambiance.

— Si je résume, résonna la voix de Keewat, le patron d'*Écomédias* s'est engagé à faire appel à nous aussi souvent qu'il le pourra. Nous avons déjà les commandes de l'Institut océanographique de Paris grâce à Cynthia. S'y ajouteront celles des laboratoires de recherche de l'Université Laval… La Morrigane est maintenant bien équipée pour des croisières d'étude… Nos finances seront en partie prises en charge par Yann et Zocaro. Grâce à la générosité de leurs compagnies respectives, la Lepradec s.a. et la Quetzal oil, des sommes assez rondelettes ont été investies dans notre fondation… Nous avons un bureau et un laboratoire, ici, à Montréal. Et nous en ouvrirons peut-être un autre à Paris… Ah oui ! Si Tom n'a pas changé d'avis, son avion sera à notre disposition… Eh bien, les affaires marchent, non ?

Lorri avait écouté le bilan dressé par son ami tchippewayan. Cette fois, ça y était, ils se lançaient. L'idée était en germination depuis pas mal de temps, déjà. Il y a quatre ans,

Laurent avait mis en suspens ses études d'écobiologie pour voyager. Keewat, son fidèle compagnon d'aventures, l'avait rejoint. Depuis, tous deux en avaient vu du pays ! Aujourd'hui, le voyage ne leur suffisait plus. Ils voulaient s'investir dans des projets de sauvegarde de la Terre. Ils avaient compris qu'un péril d'une extrême gravité la menaçait. Selon eux, c'était une question de décennies, et non pas de siècles. Cinq, tout au plus. Si la dégradation de la planète continuait à ce rythme, il serait trop tard dans cinquante ans. D'où l'idée de créer la fondation Naïade. Ce nom, dans l'Antiquité, désignait une divinité des sources et des rivières. L'eau… La substance la plus précieuse de l'univers. Incolore, inodore, sans saveur, mais sans laquelle il n'y a pas de vie… Était-ce un signe, un message caché, si cette matière, d'apparence aussi fade, était à la base de l'incroyable richesse du monde vivant ? Cette question, Lorri se l'était souvent posée. Et la réponse demeurait un mystère.

La fondation était ouverte à tous. Pour l'instant, les membres ne s'avéraient qu'un petit noyau composé d'amis proches, mais ils espéraient grossir rapidement leurs rangs.

Naïade avait pour objectif de modifier le comportement des gens, de les aider à vivre

plus sainement, tout en respectant leur environnement. Cela impliquait, dans un premier temps, d'étudier cet environnement ; dans un deuxième temps, d'éduquer ; dans un troisième temps, d'aider. La tâche n'était pas aisée, mais d'autres associations ou fondations poursuivaient les mêmes buts depuis longtemps déjà. Le Québec, dans ce domaine, n'était pas en reste, et Naïade, avec les moyens dont elle disposerait, tenterait de se joindre à elles.

— Il nous manque seulement la réponse du ministère de l'Environnement, reprit l'Amérindien. J'espère qu'il nous accordera une belle subvention.

— Je ne vois pas pourquoi il en irait autrement, dit Lorri avec conviction. Depuis quelques années, on sent un frémissement chez nos dirigeants. Il faut dire que la menace qui se profile à l'horizon est de plus en plus perceptible. Le réchauffement climatique est bien réel. Des études sont menées, des décisions sont prises, des décrets sont votés… Mais tout cela avance trop lentement à mon goût. Des fondations comme la nôtre ont aussi pour mission de bousculer les choses. Plus nous serons nombreux à œuvrer et à militer, plus le mouvement s'accélérera. Du moins, je l'espère, car sans cela…

— Inutile de me faire un dessin. Si tu veux mon avis, c'est chez nous, dans les pays industrialisés, qu'il y aura le plus de travail. La vie moderne, la surconsommation nous ont donné de mauvaises habitudes. Il ne sera pas facile de faire machine arrière.

— Tu as raison. Il suffirait juste, parfois, de regarder comment vivaient nos ancêtres. Les tiens comme les miens. Ils savaient faire preuve de sagesse. Et même s'il leur arrivait de maltraiter l'environnement, ils avaient une excuse : ils ne savaient pas. Aujourd'hui, on sait. Des centaines de satellites sillonnent l'espace, au-dessus de nos têtes, et nous permettent de comprendre ce qui se passe. Nous sommes allés trop loin. Nous avons prôné la croissance économique comme seule voie possible pour le développement de l'humanité ; nous avons fait du dollar un dieu. Il est urgent de trouver une solution de rechange à tout ceci. Sans cela, nous allons droit dans un mur.

— Il y aura fort à faire, conclut le jeune Amérindien en refermant son dossier. À propos, tu crois que nous réussirons à persuader Melaine et Nancy d'adhérer à notre cause ? C'est bizarre que nous n'ayons pas de leurs nouvelles. As-tu reçu un message de Cynthia, dernièrement ?

— Non, et ça ne lui ressemble pas. Le dernier qu'elle m'a laissé remonte à la semaine passée. Depuis, j'ai essayé de lui téléphoner, mais j'obtiens toujours le répondeur.

— Elle a dû prendre quelques jours de congés… Si tu veux, je peux demander à Aude. Elle en sait peut-être un peu plus.

Le signe de tête approbateur et le regard inquiet de son compagnon poussèrent le Tchippewayan à contacter la France sur-le-champ. Lorsqu'il revint de sa chambre, il annonça à Lorri qu'il avait eu son amie en ligne, qu'elle l'embrassait et se réjouissait de les revoir, tous les deux, le surlendemain. Quant à Cynthia, elle ne l'avait pas appelée depuis huit jours…

L'Airbus 330 de la compagnie Air-Canada s'était posé en douceur sur la piste mouillée de Roissy-Charles de Gaulle. Le trajet de nuit avait duré un peu plus de sept heures. Sitôt le souper servi, Laurent et Keewat n'avaient pas tardé à sombrer dans le sommeil, ouvrant à peine un œil lorsque l'appareil, pris dans des perturbations aériennes au cours de sa descente, s'était mis à tressauter. La voix

rassurante du commandant de bord, résonnant à travers les haut-parleurs, avait achevé de les réveiller.

Maintenant qu'il avait les yeux ouverts, Lorri se sentait impatient. Cynthia lui avait manqué durant ces mois de séparation. Il avait hâte de la tenir dans ses bras et de s'enivrer de son parfum.

Il pouvait dire qu'il avait eu le coup de foudre pour Cynthia. Leur première rencontre remontait à quelques années et, au début, il avait pensé qu'elle ne s'intéressait pas à lui. Cynthia se montrait distante, voire méfiante, à tel point qu'il avait cru que leur relation s'arrêterait avant même d'avoir commencé. Par la suite, cette crainte s'était évanouie. Il avait compris que la jeune femme ne voulait pas d'aventure sans lendemain. Que s'il tenait à ce qu'elle s'engage plus loin avec lui, il devrait y avoir entre eux des sentiments aussi sincères que profonds. Lorri lui avait déclaré qu'il l'aimait. Mais il avait tenu à se dévoiler tel qu'il était. Il ne voulait pas perdre sa liberté actuelle, qui lui permettait d'aller là où il avait envie, sans entraves. À vrai dire, c'était plutôt la jeune femme qui lui avait fait prendre conscience de ça. Ce jeu de la vérité s'était révélé très utile, car Cynthia lui avait

également avoué qu'elle tenait à ne pas perdre la sienne.

Lorri déplia son corps d'athlète, lia ses cheveux par un ruban de cuir, puis endossa sa veste australienne. Keewat l'avait imité. Les deux amis étaient de corpulence identique. Ils dépassaient le mètre quatre vingt-cinq, avaient les cheveux longs, et marchaient avec l'allure souple d'une panthère. L'Amérindien avait cependant le visage typé propre aux autochtones. Ses cheveux étaient couleur de jais ; ceux de Laurent étaient blonds comme les blés.

Le duo rendit la politesse aux hôtesses avant de franchir la passerelle menant à l'aérogare. Paris était recouvert d'un ciel plombé d'où s'échappait une fine pluie. Lorri et Keewat n'avaient pas encore mis le nez dehors, mais ils devinaient que la température devait être plus élevée qu'à Montréal, les frimas de l'hiver n'atteignant la France que vers la mi-décembre. Ils récupérèrent leurs bagages sur le tapis roulant et se dirigèrent vers le hall.

Aude de Grands-Murs trépignait d'impatience. Pour mieux voir, elle se hissa sur la pointe des pieds.

Keewat lui avait manqué. Elle se demandait pourquoi elle n'avait pas encore pris la décision de le suivre définitivement au Canada. Son pouls s'accéléra. Elle venait de reconnaître sa silhouette, suivie de près par celle de Laurent. Elle se précipita à leur rencontre.

— Hé ! Doucement ! se plaignit faussement l'Amérindien en lâchant son sac.

Il accueillit les lèvres de la jeune femme avec bonheur.

— Bonjour Aude, dit à son tour Lorri en lui donnant deux gros becs. Tu vas bien ? Cynthia n'est pas là ?

— Elle a sans doute été retardée, expliqua l'Auvergnate. Je ne l'ai pas encore aperçue. Mais nous nous étions bien fixé rendez-vous ici… Il n'y a qu'à l'attendre dans un coin.

— Je lui passe un coup de fil, décida le Québécois en sortant son téléphone cellulaire.

Il n'obtint que la boîte vocale. *Après tout, la réception est peut-être nulle à l'intérieur de l'aérogare,* pensa-t-il pour se rassurer. Pourtant, autour d'eux, des tas de gens avaient leur portable collé à l'oreille. Une vague

inquiétude envahit Lorri. Il s'écarta poliment de ses compagnons pour respecter leur intimité.

Au bout d'une demi-heure, Cynthia n'avait toujours pas fait son apparition. Il lui laissa alors un message.

— Allons directement chez Cynthia, dit-il en retrouvant Aude et Keewat. Je l'ai avertie sur sa boîte vocale. Inutile de poireauter plus longuement ici.

Aude les mena au stationnement où attendait son véhicule, une petite Peugeot 206. Elle avait fait la route des monts d'Auvergne jusqu'à Roissy très tôt, le matin. Ils s'engouffrèrent tous les trois dans l'habitacle.

Il y avait de la circulation. Les trois amis en profitèrent pour se raconter ce qu'ils avaient fait, chacun de leur côté, depuis qu'ils s'étaient quittés. Aude travaillait toujours au Syndicat d'initiative de Lyon. Keewat et Lorri l'informèrent de l'évolution de la fondation. Elle connaissait Zocaro. Le jeune homme vivait au Mexique, dans le Chiapas. Ils s'étaient rencontrés au cours de circonstances assez tragiques. À l'époque, Zocaro était le chef d'une troupe de rebelles, des Mayas prêts à reconquérir leurs droits ancestraux par les

armes. L'aventure s'était finalement bien terminée. Et par l'abandon de la rébellion, et par la découverte du fabuleux trésor de ses ancêtres. Pour couronner ce dénouement heureux, Zocaro s'était également retrouvé à la tête d'une importante compagnie pétrolière. L'argent, issu de l'exploitation du gisement, servait depuis ce temps à améliorer le sort des siens. Avec Lorri, Keewat et son grand-père archéologue Blaise de Grands-Murs, Aude n'avait pas été étrangère à ce spectaculaire revirement de situation. Pour les remercier, Zocaro leur avait offert son amitié... et quelques épais paquets de dollars[3]. Depuis, la Quetzal oil était solidement cotée en Bourse.

— On y est, déclara Laurent, tandis que Aude garait la Peugeot sur le premier emplacement de stationnement disponible.

Ils mirent tous pied à terre et gagnèrent le bas de l'immeuble. Lorri enfonça la sonnette à plusieurs reprises, sans succès.

— Elle ne nous a quand même pas oubliés ! protesta Laurent, dépité.

— Ce n'est pas son genre, dit Aude. La semaine dernière, elle faisait le décompte des

3. Voir *Sur la piste des Mayas*, du même auteur, dans la même collection.

jours à écouler avant de vous revoir. Nous avons parlé longuement au téléphone. L'une comme l'autre, nous connaissions parfaitement la date de votre arrivée.

— Où est-elle, alors ?

— Voilà quelqu'un, annonça Keewat en désignant le hall, derrière la vitre, où un couple de personnes âgées venait d'apparaître.

Laurent attendit que la porte s'ouvre avant de leur adresser la parole :

— Excusez-moi, nous cherchons Cynthia Glendale. Savez-vous si elle est chez elle ?

— Oh ! Je vous reconnais, jeune homme, fit la dame. Vous êtes son petit ami, n'est-ce pas ? Le garçon qui vit au Québec… Cynthia nous a dit l'autre jour qu'elle prenait un congé…

— C'est exact, intervint l'homme qui l'accompagnait. Notre appartement est sur le même palier. Elle nous a dit qu'elle en profiterait pour effectuer un voyage dans le Connemara. Elle ne vous a pas prévenu ?

— Le Conne… mara, bégaya Lorri. Non. Il y a longtemps ?

— Hum ! Cela fait au moins cinq ou six jours qu'elle est partie, n'est-ce pas, Nénette ?

— Oh oui, au moins !

Lorri les regarda s'éloigner. Il se passa la main dans les cheveux et secoua la tête. Tout cela n'était pas normal.

— Il y a quelque chose qui cloche, dit-il en fixant ses amis. Enfin, Aude, elle n'a pas fait allusion à ce voyage lorsque tu l'as eue au téléphone ?

— Pas du tout. Elle a dû prendre cette décision par après.

— Attendez ! hurla Laurent en rattrapant les retraités. Vous a-t-elle dit où elle allait, exactement ?

— Je crois qu'il était question d'une exposition d'animaux marins et d'un stage pour étudier un oiseau dans les tourbières, fit le vieil homme en se pinçant les lèvres... Bak... Bak... Bakorge ! Ça doit être cela. Un stage à Bakorge, dans le Connemara. Désolé. C'est tout ce que nous savons. Bonne journée, mon jeune ami.

# 6

# À Londres

Laurent Saint-Pierre retourna auprès de ses amis, l'air préoccupé. Pourquoi Cynthia ne l'avait-elle pas prévenu de ce voyage? Pourquoi n'en avait-elle rien dit à Aude? Si elle avait eu un imprévu en Irlande, pourquoi ne pas les avoir avertis?

— Alors? s'enquit le Tchippewayan.

— Un stage à Bakorge… Je n'ai jamais entendu ce nom. Ça se trouverait dans le Connemara.

— Elle y serait donc encore?

— Et elle aurait oublié notre rendez-vous? Je n'y crois pas, affirma Aude avec conviction. Il lui est sûrement arrivé…

— … des ennuis. C'est ce que je pense aussi, conclut Lorri. Bon. Notre avion part demain pour Londres. D'ici là, nous avons le

temps de nous renseigner un peu plus. Je vais commencer par contacter l'Institut océanographique. Si le but de ce voyage imprévu était un stage de dernière minute, Pelletier est forcément au parfum. En attendant, nous ne pouvons pas rester dans la rue. Impossible de pénétrer chez Cynthia, je n'ai pas la clé. Nous pourrions aller chez ses parents, mais je ne pense pas que cela soit une bonne idée. Inutile de les inquiéter prématurément. Cherchons plutôt un hôtel pour y trouver asile.

Ils remontèrent la rue sur une centaine de mètres en direction du parc Montsouris. Le *Bonconfort*, dans l'artère voisine, ne payait pas trop de mine, mais pour une nuit, cet hôtel ferait l'affaire. Lorri laissa Aude et Keewat dans leur chambre et s'enferma dans la sienne. Il s'empressa de consulter l'annuaire mis à sa disposition par la réception et trouva sans peine le numéro de l'Institut océanographique. Une secrétaire décrocha et lui passa Jean-Jacques Pelletier. Le responsable de l'Institut était au courant des congés de Cynthia. Elle lui avait annoncé qu'elle comptait se rendre en Irlande, au castel de Blackforge, dans le Connemara. Elle était personnellement conviée au vernissage d'une

collection privée et à participer à un stage d'étude sur le lagopède des saules, dans les tourbières. Une belle occasion. Par contre, qu'elle ne soit pas encore rentrée l'étonnait beaucoup.

Laurent répéta à ses amis ce qu'il avait appris. Pour tuer le temps, dans l'attente d'un appel de Cynthia qui mettrait fin au mystère, ils décidèrent de visiter les bords de la Seine. Aucun d'eux ne connaissait l'intérieur de Notre-Dame. Ils s'y rendirent après avoir parcouru quelques salles du Musée du Louvre. Mais le cœur n'y était pas, et lorsqu'ils regagnèrent l'hôtel, la jeune femme ne s'était toujours pas manifestée.

Le Bae 146 de la British Airways se posa sur une des pistes d'Heathrow avec un retard d'une heure. Les mauvaises conditions météo et l'intensité du trafic étaient à l'origine des perturbations qui gênaient les avions au-dessus de la Manche depuis plus d'une semaine. Aude, Keewat et Lorri avaient pris place à bord. La veille, dans sa chambre d'hôtel, Laurent avait eu beaucoup de mal à

s'endormir. L'absence inexpliquée de Cynthia commençait à l'inquiéter au plus haut point. Malgré cela, il avait décidé, de concert avec ses amis, de suivre ce qui avait été planifié.

— Melaine et Nancy doivent commencer à se poser des questions, lança Aude en bouclant son manteau.

— Le retard de notre vol a certainement été annoncé sur le tableau des arrivées, rétorqua Keewat. Et puis une heure, ce n'est pas encore dramatique.

— Je me demande si Tom sera de la partie, intervint Lorri. En principe, si je me rappelle ce qui avait été dit, il a dû les contacter d'une manière ou d'une autre.

— Lui, au moins, nous n'aurons aucun mal à le repérer, reprit l'Auvergnate.

Après avoir franchi le dernier contrôle, les deux garçons et la jeune femme débouchèrent dans la salle des pas perdus. C'était là qu'ils avaient rendez-vous, près de la sortie.

— Eh bien, où sont-ils ? C'est nous qui devrions être en retard, pas l'inverse ! protesta le Tchippewayan.

Ils prirent leur mal en patience. Pourtant, près de deux heures plus tard, aucun de leurs amis ne s'était encore présenté. Ils avaient

bien tenté de joindre Nancy sur son téléphone portable, mais n'avaient obtenu que la boîte vocale.

— Pas normal, pas normal, tout ça, répéta Laurent, assis sur son sac, au milieu des voyageurs de tous horizons qui allaient et venaient.

— Tu as raison, reconnut l'Amérindien. D'abord Cynthia, maintenant Tom, Melaine et Nancy… Ils ne peuvent pas tous avoir oublié. Et pourquoi nous est-il impossible de les avoir en ligne ? Le réseau des communications est-il à ce point déficient, en Europe ?

— Bien sûr que non ! rétorqua Aude. Un pressentiment me dit qu'ils ne viendront pas.

— Et si nous allions au magazine ? proposa Lorri.

— *Oldstones* ? C'est une bonne idée, approuva la jeune femme. Là-bas, nous apprendrons peut-être quelque chose.

Sitôt sortis de l'aérogare, ils se mirent en quête d'un taxi. Une grosse auto noire les déposa devant l'édifice où travaillaient Melaine et Nancy. La secrétaire les annonça à William Crawford, qui surgit, l'air assez excité.

— Mademoiselle, messieurs… Vous êtes à la recherche de Nancy Field et de Melaine

Granger? Mois aussi, figurez-vous, car elles ont disparu!

— Comment ça? demanda Lorri, interloqué.

— Je les ai envoyées en reportage au Connemara. Depuis, plus de nouvelles!

— Sans être indiscret, pouvez-vous nous dire le sujet de ce travail? s'intéressa à son tour Keewat.

— Bien sûr, ce n'est pas un secret. Une ancienne forteresse médiévale, le castel de Blackforge.

Les trois amis se dévisagèrent.

— Eh bien quoi? reprit William Crawford. On dirait que je viens de vous parler de l'entrée de l'enfer!... Melaine et Nancy avaient reçu une invitation personnelle pour s'y rendre. Comme vous le savez sans doute, la spécialité de notre revue est l'étude des monuments anciens. Le propriétaire du castel avait probablement besoin de publicité... Mais pour revenir à notre problème, Melaine et Nancy devraient être de retour depuis longtemps. Auriez-vous une idée de ce qu'elles fabriquent?

— Pas la moindre, non, répondit Aude. Depuis quand sont-elles parties?

— Ça fait près d'une semaine.

— Et cette disparition ne vous a pas inquiété ?

— Évidemment... Seulement, pas moyen de mettre la main sur les coordonnées exactes de ce mystérieux édifice. Et je n'arrive pas à les joindre par téléphone. Combien ça va me coûter, toute cette histoire ? Mais... j'y pense, qui êtes-vous, au juste ?

— Des amis, répondit laconiquement Lorri en pensant que William Crawford ne semblait voir, dans la disparition des jeunes femmes, qu'un simple problème d'argent. Avez-vous pensé à aller chez elles ?

— Non, je l'avoue. Vous connaissez leur adresse ? Ça me rendrait service si vous y alliez. Tenez-moi au courant.

Dans la rue, Keewat resserra sa veste en peau et s'adressa à ses compagnons :

— S'il s'agit d'une coïncidence, elle est plutôt bizarre, non ?

— Je suis de ton avis, approuva Lorri en sortant son portefeuille pour y chercher son mini carnet d'adresses. Cynthia, Melaine et Nancy ont toutes reçu une mystérieuse invitation pour se rendre à ce non moins mystérieux castel de la Forge Noire. Depuis, c'est le silence. Nous pouvons faire une visite chez Melaine et Nancy... Je doute qu'elles y

soient, mais allons-y quand même. Elles habitent près de la Tamise, dans le quartier de… Poplar.

Arrivés sur les lieux, les trois voyageurs constatèrent que les filles n'étaient pas chez elles. Ils insistèrent lourdement par appuis répétés sur la sonnette, sans succès. Et ils ne s'étaient pas trompés, puisque le nom de leurs amies apparaissait bien sous le bouton poussoir de l'entrée.

Au bout d'un moment d'hésitation, Aude suggéra d'aller se renseigner sur Blackforge. Les garçons approuvèrent cette idée. Ils se rendirent donc tous dans une agence de voyages dont une des vitrines vantait, en lettres rouges, une promotion de séjour à Galway. Après avoir effectué plusieurs recherches pour satisfaire leur demande, un employé leur proposa la région de Salthill. Lorri, Keewat et Aude décidèrent d'acheter trois vols en classe économique.

# 7

# En Irlande

*Quelques jours plus tôt…*

Ils se perdaient tous les quatre en conjectures. Des rires et des exclamations fusaient, transformant l'ambiance en une joyeuse cacophonie. L'exaltation des retrouvailles passée, la bonne humeur fit place au doute et à l'interrogation. Se pouvait-il que le hasard soit le seul responsable de ces rencontres imprévues ? Ils ne tardèrent pas à trouver un élément qui s'opposait à cette hypothèse : l'invitation.

— Je l'ai reçue chez moi un soir, expliqua Cynthia en la brandissant. Quelqu'un a dû la glisser sous ma porte.

— Nous aussi, reconnut Nancy. Impossible de savoir qui nous l'a donnée. Elle est dans ton sac, Melaine. Sors-la.

— Dans mon cas, il ne s'agissait pas d'une invitation à proprement parler, dit à son tour Tom, mais plutôt d'un bon de commande. Je l'ai laissé dans l'avion.

— Le papier est le même, constata la scientifique en saisissant le document que tendait Melaine Granger. Oui, oui, c'est bien cela. La même encre, la même écriture et… la même odeur. Assez désagréable, non ?

— Moi, j'ai cru que cette senteur nauséabonde venait d'un vide-ordures mal refermé, sur le palier de notre appartement, précisa Melaine. Nous nous sommes aperçues plus tard qu'elle provenait du papier. Avec le temps, elle s'est un peu atténuée.

— Cette coïncidence est trop bizarre pour en être une, conclut Cynthia. Qu'est-ce que cela veut dire ?

— Le seul moyen de résoudre cette énigme, c'est de se rendre à ce mystérieux castel, proposa Tom Ndzouri. Je préfère d'ailleurs ne pas traîner par ici. Voler la nuit ne m'emballe pas du tout.

— Alors, passez devant, nous vous suivons, décida Nancy.

Les deux véhicules reprirent l'ascension du mauvais chemin qui montait à l'assaut d'un coteau. La forêt se fit plus dense et ils

durent allumer les phares. Puis les troncs s'espacèrent à nouveau, laissant apparaître çà et là de gros quartiers de roc érodés par le temps. Ils durent redoubler de prudence pour ne pas heurter un de ces mastodontes chaque fois qu'ils abordaient un virage. Au bout de quelques kilomètres, ce chemin devint si étroit qu'ils décidèrent de s'arrêter.

— Comment un musée pourrait-il exister dans un endroit pareil ? lança Cynthia. À moins que l'on puisse y accéder par une autre route ?

— Une chose est sûre, ajouta le colosse, nous devons continuer à pied. Heureusement, la pluie s'est arrêtée de tomber. Ça n'enlève rien au décor. Plutôt sinistre, non ?

L'endroit ressemblait à une forêt désenchantée. Une forêt où régnait un inextricable fouillis, où les saules mêlaient leurs fûts tourmentés et leurs branches griffues au reste des arbres, où les pans de mousse, tombant en cascade vers le sol, se liaient à des enchevêtrements innommables de ronces et d'épines. Quelqu'un frappa à la vitre. Cynthia sursauta.

— Qu'est-ce qu'on fait ? cria Nancy en serrant son col roulé.

— De la marche à pied, abdiqua la scientifique. Pas le choix !

Ils sortirent leurs sacs et fermèrent les véhicules. Melaine regarda autour d'elle. Elle n'était pas une poule mouillée, mais elle devait reconnaître que les larges épaules de Tom la rassuraient.

— Mes baskets neufs ! Leur blancheur va en prendre un coup, avec toute cette boue ! se plaignit Nancy.

Le sol, extrêmement spongieux, regorgeait d'eau. Ils pataugeaient maintenant au milieu d'une vaste étendue brune et verte.

— Crotte ! ajouta la jeune Anglaise en se résignant malgré tout à suivre ses amis.

— Ce sont des tourbières, expliqua Cynthia, un écosystème des plus intéressants à étudier. Avez-vous déjà entendu parler des dionées ?... Ce sont de petites plantes carnivores qui se nourrissent en capturant des insectes. Leurs feuilles sont de véritables pièges enduits d'un suc digestif, et lorsqu'une mouche s'y pose, la malheureuse déclenche un mécanisme qui la condamne irrémédiablement. Je ne serais pas étonnée si nous en rencontrions en chemin.

— Digérée vivante, hein ? Comme c'est charmant ! railla Nancy.

— Oui, c'est une fin atroce, je te l'accorde. Les tourbières regorgent d'une vie animale

et végétale étonnante. Elles sont d'une diversité biologique incroyable. C'est dommage, en manquant à ses obligations envers la nature, sous la pression de certains lobbies, que l'Irlande en ait mis à mal des hectares complets. D'autant plus que l'on sait maintenant qu'une tourbière a la capacité de fixer le gaz carbonique de l'air, un gaz à effet de serre…

Cynthia écarquilla les yeux pour tenter d'apercevoir un lagopède. Elle espérait secrètement en observer un avant même d'entamer le stage auquel elle était conviée.

⮷

C'était de plus en plus évident, ils avaient dû se tromper. Le chemin qu'ils empruntaient n'était maintenant plus qu'une sente étroite où même une carriole à cheval aurait eu du mal à se frayer un passage. Des galets, dissimulés sous la mousse et le lichen, roulaient sous leurs pieds comme des billes. Un couple de corbeaux s'envola lourdement à leur approche.

— Vous parlez d'un rendez-vous ! protesta Tom Ndzouri. Et la nuit qui tombe…

— Il y a quelqu'un, là-bas, dit tout à coup Nancy en serrant le bras de Melaine. Vous voyez cette silhouette noire ?

— Pas trop tôt ! poursuivit le géant. Nous allons enfin être renseignés.

Mais ils avaient été victimes d'une illusion. Ce qu'ils avaient pris pour un homme n'était en réalité qu'un saule au tronc et aux branches étrangement sculptés par la nature. L'allure du végétal donnait la chair de poule. On aurait dit un être aux membres décharnés, torturé par la douleur. À deux mètres de haut, un rétrécissement du tronc et un évasement dessinaient un cou et une tête, percée de plusieurs orifices. À l'évidence, il s'agissait de trous de pic. La ressemblance avec des yeux et une bouche n'en restait pas moins troublante.

— Pour un peu, on l'entendrait hurler, ce pauvre arbre ! s'exclama Cynthia pour chasser le malaise qui s'était emparé du groupe.

Ils reprirent leur chemin. Au bout d'une centaine de mètres, Melaine, qui marchait en premier, eut une sensation bizarre lorsqu'elle se faufila entre deux menhirs de granit cyclopéens. L'air était-il devenu subitement plus dense ? Elle se retourna et observa ses compagnons qui venaient derrière. Leurs

visages et leurs corps étaient flous. Elle ferma les yeux, les rouvrit aussitôt. Sa vision redevint nette. *Cette expédition commence à me peser,* pensa-t-elle.

— Je suis fatiguée, se plaignit Nancy en arrivant à sa hauteur. J'espère que le propriétaire du castel va nous proposer l'hospitalité sans rechigner.

— Pour en être sûres, dit Cynthia, nous aurions pu le prévenir de notre arrivée. Malheureusement, je n'ai pas pu mettre la main sur le moindre numéro de téléphone. C'est plutôt curieux, vous ne trouvez pas ? Tout le monde a le téléphone, aujourd'hui. Que t'arrive-t-il, Tom ? Tu en fais, une tête !

— Je ne sais pas. Un moment, j'ai cru que j'avais heurté quelque chose… d'invisible. Je partage ton avis, Nancy. Il serait grand temps d'arriver.

Le chemin s'élargit brusquement et déboucha à l'entrée d'une vallée. Un torrent coulait quelques mètres en contrebas. L'espace jonché de pierres qui s'ouvrait devant eux s'étendait jusqu'à l'orée d'une seconde forêt, à un demi-kilomètre de distance.

— Regardez ! s'exclama Melaine en tendant le bras. Le castel de Blackforge !

La partie haute de la construction, composée de murs crénelés, de tours arrondies coiffées d'ardoise, et d'un immense donjon, était visible au-dessus des arbres. Malgré le jour qui déclinait de plus en plus rapidement, pas une lumière ne brillait au niveau des ouvertures.

— Eh bien, siffla Tom Ndzouri, vous parlez d'une maison de campagne!

— Dépêchons-nous, pressa Nancy. La nuit tombe, et si je ne me trompe pas, nous devons encore traverser cette forêt.

Ils descendirent au fond de la vallée pour longer le torrent. Quelque chose perturbait de plus en plus Cynthia : la route. Ils n'avaient sans doute pas suivi la bonne. Mais après tout, cela n'avait pas beaucoup d'importance, puisqu'ils arrivaient. Un avertissement, poussé par Melaine, la tira de sa réflexion.

— Il y a quelqu'un, sur ce rocher. Vous le voyez ? On dirait un enfant.

— Melaine a raison, approuva l'Africain en plissant les yeux. Je le vois aussi. Il bouge. Cette fois, nous allons enfin savoir.

Le jeune inconnu s'était immobilisé et les regardait approcher.

— Hé, petit ! cria le Kenyan. Peux-tu nous dire si le château qui se trouve derrière ces arbres est bien celui de Blackforge ?

Nancy agrippa le bras de Melaine et murmura d'une voix cassée :

— Regarde ! Je rêve ou il a des oreilles pointues ? Et c'est un vieillard ! Tu as vu ses vêtements ? Il a des collants et des souliers à la poulaine[4] !

Ils s'étaient arrêtés à quelques mètres de l'étrange personnage. Tom Ndzouri, surpris lui aussi par l'aspect insolite de l'enfant, continua :

— Dis donc, tu es un as du déguisement ! Tu habites au château, n'est-ce pas ? Peux-tu nous y conduire ?

— Ce n'est pas un déguisement… Ce n'est pas un déguisement…, répéta Nancy avec la même voix enrouée. C'est un gnome !

Cynthia devait reconnaître que le grimage du garçon frisait la perfection. Mais quelque chose la mettait mal à l'aise sans qu'elle sache exactement quoi. L'inconnu se dressa soudain, et d'un mouvement des bras, sans prononcer la moindre parole, leur désigna l'orée du bois.

4. Soulier muni d'une longue pointe fort à la mode au XIVe siècle.

— Il a les dents pointues ! s'écria Nancy, que le personnage effrayait de plus en plus. Je vous dis que c'est un gnome !

— Tu n'es pas bavard, conclut Tom en se résignant à suivre la direction indiquée. Merci quand même.

Il se tourna vers les filles.

— Je suppose qu'il est employé au castel comme comédien… Dans une reconstitution historique, pourquoi pas ? Brrr… C'est qu'il m'aurait presque fait peur, le petit monstre !

— Il a disparu ! constata tout à coup Nancy après avoir jeté un coup d'œil par-dessus son épaule.

— Tu vas te calmer un peu, Nan ? la sermonna Melaine. Toi qui regardes la télé sans arrêt, ne me dis pas que tu ne sais pas de quoi sont capables aujourd'hui les spécialistes du maquillage ?

— J'ai aussi failli me laisser emporter par mon imagination, intervint Cynthia. Pressons le pas, si vous voulez bien. J'ai hâte d'arriver.

La lumière du jour, filtrée par la cime des arbres, avait du mal à atteindre le sol. Au milieu des résineux, l'obscurité devenait presque totale. Des bruissements furtifs, des craquements de branches et des gloussements étouffés leur parvinrent bientôt à intervalles réguliers.

— On nous suit ! dit Nancy avec inquiétude. Là-bas ! Des gnomes !

— Nancy, ce ne sont que des enfants ! rétorqua Melaine. Si tu veux mon avis, ton gnome a retrouvé ses petits copains et ils se marrent de la frousse qu'ils te font.

Un hurlement retentit au loin, auquel répondit un autre, puis un troisième et un quatrième.

— Des loups ! s'exclama Tom Ndzouri. Personne ne m'avait dit qu'il en existait encore dans ce pays.

— Il n'y a plus de loups en Irlande depuis bien longtemps, rectifia Cynthia. Ceux qui viennent de hurler sont dans un enclos, il n'y a pas d'autre explication… J'ai toujours rêvé d'approcher des loups ! En France, les quelques spécimens qui sont venus d'Italie, dans le parc du Mercantour, sont déjà de trop. Certains n'attendent qu'une chose : la permission de les massacrer. J'exagère à peine !

Les amis marchèrent un kilomètre avant que la forêt ne cède finalement la place à un tertre rocailleux couronné par un mur d'enceinte, sombre et massif. Ils étaient au pied du mystérieux castel de Blackforge.

# 8

# Un décor inquiétant

Les dimensions de la forteresse étaient impressionnantes. Après avoir gravi le tertre, les quatre amis en jaugeaient maintenant toute la masse. Le rempart à mâchicoulis, en ce qui concernait la partie visible, devait avoisiner la centaine de mètres. Il était flanqué de deux tours d'angle et d'une tour intermédiaire dont la base plongeait dans les douves. Un pont-levis permettait d'enjamber une eau noire, envahie par les joncs et les nénuphars. Le donjon se dressait en arrière-plan, surmonté de plusieurs clochetons ouvragés. Du pied des remparts, il était impossible d'identifier avec précision les sculptures qui ornaient ces tourelles. Tout ce qu'ils pouvaient estimer, c'était qu'il s'agissait d'un bestiaire. Un détail avait tout de suite attiré l'attention

de Melaine et de Nancy : l'état de conservation du castel.

— Cette forteresse a été admirablement restaurée, dit la jeune Anglaise. Cela a dû coûter une fortune !

— Moi, elle m'effraie un peu, avoua Cynthia. Sans doute à cause de la nuit qui tombe.

— À propos de nuit, lança le pilote en prenant son téléphone portable, je ferais bien d'avertir Jeff que je serai en retard à Weston.

Le géant ne réussit pas à obtenir la communication. À vrai dire, il n'obtint aucun signal de liaison.

— Foutue électronique, s'énerva-t-il. Ça ne marche jamais quand il faut, ces bidules !

Il essaya avec celui de Nancy, mais n'eut pas plus de succès.

— Regardez, là-bas ! On dirait des chiens ! lança Melaine en tendant le bras vers un point précis du paysage.

— Ou des loups ! rectifia Cynthia en écarquillant les yeux. C'est une meute. Voilà l'origine des hurlements de tout à l'heure. C'est bizarre, je ne vois pas de clôture d'enclos. Qu'est-ce que cela veut dire ? Ils ne peuvent pas errer en toute liberté, quand même !

— Tiens, tiens, ne serait-ce pas nos monstres qui rappliquent ? dit Tom en désignant de petites silhouettes humaines convergeant vers la colline. Les méchants loups les auraient-ils effrayés ?

— Et si on se décidait à entrer ? s'impatienta Nancy. Nous sommes ici pour ça, non ?

— Allons-y, fit le colosse en pressant ses amies de ses gigantesques bras écartés.

Leurs pas résonnèrent sur les planches du pont-levis. Ils pénétrèrent sous un porche voûté, éclairé par plusieurs torches fichées dans les murs, puis passèrent devant l'amorce de deux escaliers que, faute de lumière suffisante, ils ne se risquèrent pas à suivre.

— Nous voici dans la cour, dit Melaine. Qu'est-ce que tu en penses, Nancy ? Treizième ou quatorzième ?

— Ça manque d'éclairage, répondit la jeune Anglaise. Ne me dites pas qu'ils n'ont pas l'électricité ! Treizième, je dirais…

D'autres torches, que des courants d'air faisaient vaciller, jetaient une clarté tremblante sur les marches d'un perron monumental. Elles permettaient d'accéder à une bâtisse de quatre étages adossée au donjon.

— La réception doit être là-haut, supposa Cynthia, en désignant des fenêtres à croisée ouvrant sur le seuil.

Un grincement plaintif, mêlé à des bruits de chaînes, retentit soudain. Ils se retournèrent avec précipitation. Le pont-levis était en train de se lever lentement sans qu'ils puissent voir qui en activait le treuil.

— Tout ça commence à me taper sur les nerfs, gronda Tom. En voilà des façons de recevoir les visiteurs !

Le géant fit volte-face, escalada le perron en quelques enjambées et rejoignit la porte d'entrée. Il la frappa de son poing épais. Le bois, bardé de fers, rendit un son creux.

— Ohé ! Il y a quelqu'un ? Je suis le pilote que vous avez commandé…

Cynthia, Melaine et Nancy vinrent aussitôt le rejoindre.

— Vous avez vu ce truc ? dit la jeune Anglaise en pointant l'index sur la tête sculptée qui ornait le fronton. On dirait le diable ! Vous allez me dire que ce genre de décoration n'était pas rare, autrefois, mais ici, l'artiste s'est surpassé. Quelle horreur !

— Il n'y a pas de lumière à l'intérieur, constata Cynthia, qui s'était hissée sur la

pointe des pieds pour tenter de voir à travers une des fenêtres. Ou alors, quelques bougies... Ils n'auraient donc pas l'électricité, comme tu le supposais, Nancy ? Mais alors, le musée... Non, il doit y avoir une panne de secteur, tout bêtement.

— C'est drôle, releva Melaine, on dirait que tu essaies de te rassurer.

— En voilà assez. Moi, j'entre, décida Tom.

Le colosse appliqua la main sur la clenche et poussa. La porte céda en grinçant à peine.

— Il y a quelqu'un ? répéta-t-il. Nous avions rendez-vous !

— Vous sentez cette odeur ? fit Nancy en reniflant bruyamment. Pouah !

— Identique à celle qui imprégnait les invitations, murmura Melaine en pénétrant à son tour dans la salle. Pas d'erreur, nous sommes à la bonne adresse.

— Il n'y a pas de chauffage non plus, remarqua Cynthia en resserrant le col de son manteau.

— Attendez un peu, les filles, intervint tout à coup Tom. Avez-vous vu un panneau indiquant les heures d'ouverture, quelque part ? Non, n'est-ce pas ? Il n'y en a aucun. Où est donc ton musée, Cynthia ?... Nous

nous sommes trompés, ce n'est assurément pas ici que nous sommes attendus !

Ils entendirent des rires étouffés issus de l'extérieur. Le Kenyan, d'un bond, sortit sur le perron.

— Ce sont ces sales gamins de tout à l'heure, j'en suis certain, déclara-t-il en revenant sur ses pas. Je ne les ai pas vus, mais attendez que j'en attrape un ! Mais avant, essayons de trouver les propriétaires.

Les filles acquiescèrent, et tous se mirent à explorer les lieux. La pièce était de dimensions imposantes. Des poutres épaisses, certaines de la grosseur d'un arbre, supportaient un plafond haut composé de planches jointes. Sur chaque extrémité de ces poutres étaient sculptées des figures grimaçantes, rendues plus repoussantes encore par les jeux d'ombre et de lumière dispensés par les torches qui brûlaient à l'angle des murs. Ces murs étaient faits de moellons scellés à la chaux. La cheminée, au fond de la pièce, était monumentale. Un bœuf entier aurait pu y griller. Des bûches et des fagots, soigneusement disposés dans l'âtre, n'attendaient plus qu'une allumette. Le mobilier était assez rudimentaire : une table de bois à peine équarrie ; une douzaine de chaises du même

acabit, à grands dossiers ; un vaisselier dans lequel on pouvait se perdre... Dans un coin, un escalier en colimaçon permettait de gagner les étages. Un peu plus loin, il y avait une large tapisserie devant laquelle le groupe s'arrêta.

— On dirait des Fomoris en miniature, commenta Nancy. Dans la mythologie irlandaise, les Fomoris étaient une race de démons qui opprimait les hommes par sa cruauté en exigeant d'eux des tributs écrasants. Mais il s'agissait de géants, pas de nains...

L'œuvre représentait une troupe de créatures difformes, de petite taille, à l'allure féroce, entourant en gesticulant trois cavaliers vêtus de longs voiles noirs. La tête de l'un de ces cavaliers, recouverte comme celle des autres d'une large capuche, était à moitié visible. On aurait dit un lépreux.

— Voilà le modèle du déguisement de notre jeune guide, dit Tom en désignant les nains. Il ressemblait comme deux gouttes d'eau à ces monstres. Encore une fois, chapeau bas au maquilleur !

Cynthia s'était une fois de plus hissée sur la pointe des pieds. L'allure du cavalier au visage à moitié découvert ne lui disait rien qui vaille. Il lui rappelait un sombre souvenir.

Des images affreuses lui revinrent en mémoire. Elle s'empressa de les chasser pour ne pas attirer le mauvais sort… Et surtout, pour ne pas affoler les autres.

— Regardez ! résonna la voix de Melaine, qui était revenue sur ses pas. La table est dressée !

Cynthia, Nancy et Tom rejoignirent précipitamment leur amie. Non seulement la table était garnie, mais le feu brûlait dans la cheminée. Et tout cela s'était fait sans qu'ils aient rien entendu !

— Ça alors ! Par mes ancêtres kikuyus ! jura le géant. À quoi joue-t-on, ici ?

Il marcha à grandes enjambées vers la porte d'entrée, puis sortit. La nuit était tout à fait tombée. Dans la cour, il n'y avait toujours pas âme qui vive.

— Allons voir à l'étage, décida le colosse en revenant à l'intérieur de la pièce.

Melaine, Nancy et Cynthia hésitèrent. Elles abandonnèrent malgré tout leurs sacs de voyage et se ruèrent à la suite de leur compagnon.

L'escalier était étroit ; la pierre, à peine usée, ce qui ne manqua pas d'intriguer les deux spécialistes d'*Oldstones*. D'après elles,

les marches de cet escalier auraient dû être creusées au milieu, là où, au cours des âges, des milliers de pieds les ont foulées. Ici, elles semblaient sorties tout droit des mains des carriers.

Les visiteurs accédèrent au premier étage et passèrent sous une tenture de velours couleur lie de vin. Comme au rez-de-chaussée, le plafond était quatre mètres au-dessus de leurs têtes. Des portes se découpaient de part et d'autre du couloir qui se prolongeait en face d'eux. Quatre étaient ouvertes et donnaient sur des chambres meublées où un feu crépitait dans les cheminées. Trois autres portes étaient closes.

— Il y a quelqu'un ? cria Tom de sa voix de stentor.

— Cette bâtisse est vide, dit Cynthia.

— Pourquoi les chambres sont-elles chauffées, dans ce cas ? fit remarquer judicieusement Nancy. Et ces torches qui éclairent ? Et la table qui est mise ?

Ils atteignirent le bout du couloir où se dressait une dernière porte, condamnée, elle aussi. Une affreuse tête sculptée décorait la moulure qui la dominait, identique à celle qui ornait l'entrée, quoique de plus petite taille.

— Le moins que l'on puisse dire, railla Melaine, c'est que le propriétaire a un sens de la décoration assez… singulier. Tout cela est d'un goût…

— On grimpe au deuxième, l'interrompit l'Africain, de plus en plus impatient. Ensuite, si on ne trouve personne, on redescend.

Mais toutes les pièces où ils tentèrent de pénétrer se révélèrent condamnées à clé. Ils regagnèrent l'escalier en ronchonnant. Depuis qu'ils avaient atteint ce lieu, ils avaient la franche impression qu'on se moquait d'eux. Cynthia proposa d'aller se renseigner auprès des enfants, ou de retourner au pont-levis. Un habitant du castel avait bien déclenché son mécanisme. Ils allaient forcément le rencontrer.

— La réception est peut-être au donjon, risqua Melaine.

— Les sacs ! hurla Nancy en déboulant la première au rez-de-chaussée. Ils ne sont plus là !

— La table ! s'exclama à son tour Cynthia. Il y a de la nourriture dans les plats !

— Surtout, ne bougez pas ! ordonna Tom en s'engouffrant à nouveau vers les étages.

Il revint aussitôt, sa colère difficilement contenue.

— Vos sacs sont là-haut, dans les chambres du premier. Quelqu'un veut que nous passions la nuit ici. Ce détail ne m'avait pas marqué, tout à l'heure, mais il y a bien quatre lits de préparés, tout comme il y a quatre assiettes. Enfin, disons plutôt des écuelles…

— En voilà des façons, commenta Cynthia.

— Je file au porche d'entrée, décida le géant, et on va m'entendre, croyez-moi !

Les trois filles s'étaient empressées de suivre leur compagnon. Ensemble, les visiteurs traversèrent la cour avant de se retrouver devant l'amorce des escaliers. Tom arracha une torche au passage et s'engagea sur le premier d'entre eux. Le groupe ne tarda pas à trouver le treuil qui permettait de manœuvrer le pont-levis. À leur grande stupéfaction, le mécanisme était bloqué par un énorme cadenas.

— Nous sommes enfermés ! gémit Nancy.

— Continuons, lança le colosse noir.

L'escalier les mena devant une porte solidement barricadée. Visiblement, cette

porte permettait d'accéder à l'intérieur de la première tour d'angle.

Tom Ndzouri tambourina sur le bois épais en sommant leurs mystérieux hôtes de leur ouvrir. Il n'obtint pas de réponse, mais d'affreux éclats de rire en provenance de l'escalier qu'ils avaient emprunté. Les quatre compagnons revinrent sur leurs pas et descendirent les marches à toute vitesse, bien décidés à mettre la main au collet des mauvais garnements qui, depuis les bois, passaient leur temps à se moquer d'eux. Mais arrivés dans la cour, ils n'étaient pas plus avancés. Aucun enfant n'était visible.

— Il faut dire qu'ils ont de quoi se cacher, les petits vauriens, pesta le géant.

De manière inexplicable, Cynthia se sentit tout à coup pressée de réintégrer la salle à manger.

— Si vous voulez mon avis, intervint la jeune femme, le mieux est encore de les ignorer. Et puis, je ne devrais pas penser à ça, mais je meurs de faim.

— Et moi, donc ! se plaignit également Tom. Allons manger, puisque nous y sommes invités.

Lui aussi, bizarrement, sentait sa colère tomber.

— Bonne idée, approuva Melaine. J'avalerais un loup !

— Surtout, ne te gêne pas, railla Nancy. Il y en a des dizaines qui courent aux alentours.

Cynthia Glendale jeta un regard vers le perron, puis leva les yeux vers les hauteurs du donjon. La construction semblait l'appeler. Certes, elle avait vraiment faim. Mais était-ce la seule raison qui la poussait à regagner l'intérieur du castel ? Lorsqu'elle serait rassasiée, elle se promit de mettre ses compagnons au courant du malaise que la scène de la tapisserie avait fait naître en elle.

# 9

# L'horrible vérité

Tom Ndzouri et les trois jeunes femmes avaient choisi chacun un couvert. Malgré la chaleur issue de l'âtre monumental, et le rougeoiement qui s'en dégageait, la pièce restait plongée dans une obscurité sinistre. Il n'y avait pas de quoi se mettre en chemisette, mais pour manger plus à l'aise, ils avaient pu ôter leurs manteaux.

L'Africain renonça à se triturer les méninges au sujet de son retour à Weston. Pour ce soir, il n'en était plus question. Et même s'il le voulait, avec la nuit tombée depuis belle lurette, maintenant, comment réussirait-il à joindre le terrain d'aviation sans se perdre une dizaine de fois ? Et puis, il ne pouvait abandonner Cynthia, Melaine et Nancy. Trop de mystère planait dans cette

étrange demeure. Les propriétaires finiraient bien par se montrer un jour ou l'autre. Sinon, pourquoi lui aurait-on demandé de venir ici ?

— C'est bon ? s'informa-t-il à Nancy, qui reniflait son assiette avec méfiance.

— Du lard accommodé aux légumes, expliqua Melaine. Carottes, navets, et… des fèves, je crois.

— Ça paraît mangeable, reconnut Nancy.

— Le pain est à la farine complète, ajouta Cynthia. Quant au vin, ce n'est assurément pas un grand cru. Heureusement, il y a de l'eau dans la cruche.

— Plutôt rudimentaires, les couverts, observa le colosse en saisissant une fourchette grossièrement sculptée.

Il engouffra un gros morceau de viande, le mâcha longuement, puis poursuivit :

— Toute chette mije en schène est vraiment bicharre… Hum ! En tout cas, ch'est pas mauvais.

Durant un bon moment, le silence régnant dans la salle à manger ne fut plus troublé que par des bruits de mastication et des raclements d'ustensiles. Cynthia Glendale posa finalement ses couverts et but une gorgée d'eau. Quelque chose l'avait vraiment poussée à pénétrer de nouveau dans le château. Une espèce de… magnétisme, qui avait été plus fort que son angoisse. Maintenant, cependant, cette angoisse réapparaissait. Elle fixa ses amis. Dans l'air, la tension était palpable.

— Peux-tu nous reparler de ton stage, Cynthia ? demanda Nancy à brûle-pourpoint.

Sa voix était nerveuse. On aurait dit qu'elle se forçait à parler pour briser le silence inquiétant de la pièce.

— Eh bien, si j'en crois l'invitation, il y aurait ici un groupement d'étude écologique. Comme je vous en ai déjà touché mot, le Parlement européen est chargé, entre autres, de veiller à la réalisation de programmes de sauvegarde des espaces naturels. Beaucoup de pays, s'ils montrent de la bonne volonté, ne respectent pas toujours leur parole. Ainsi, le gouvernement irlandais n'a pas su être assez vigilant dans le domaine de l'agriculture. Un surpâturage, pour l'élevage d'ovins, s'est développé pendant plusieurs années au détriment des landes à bruyère et des tourbières. Généralement, cela commence par un assèchement du terrain qu'on enrichit ensuite à coups d'engrais… et qu'on pollue à renforts de pesticides. Le ruissellement des pluies entraîne un accroissement de cette pollution.

Cela finit par une rupture de l'équilibre du milieu. Dans la nature, tout est interdépendant, je ne vous apprends rien. Si, à un moment donné, une espèce disparaît, cela entraîne irrémédiablement le déclin d'autres espèces. À long terme, les conséquences peuvent être dramatiques. Dans ce cas-ci, heureusement, il semble que le gouvernement irlandais ait décidé de faire machine arrière en restaurant les zones naturelles dégradées. « Décidé » est un bien grand mot… Disons qu'on l'a un peu forcé à prendre une telle décision en le menaçant de sanctions… car les bruyères, qui poussaient naturellement dans la région, ont été détruites lors de la création des ces surpâturages. Le lagopède des saules en avait fait son principal habitat. Conséquence ?

— Il n'y a plus de lagopèdes, répondit Tom Ndzouri.

— Presque plus. Cette espèce d'oiseau a failli disparaître d'Irlande. J'ai été désignée pour contrôler, dans quelques mois, en compagnie d'autres scientifiques, l'efficacité des dispositions prises par ce pays pour réparer ses erreurs. L'invitation que j'ai reçue tombait à pic, donc. Ce stage va me permettre de faire un pré-bilan de la situation.

— Encore faudrait-il que les responsables de ce groupement se manifestent, dit le colosse.

— Et maintenant ? Que va-t-il se passer ? Il est… Tiens, ma montre s'est arrêtée, constata Melaine. Est-ce que quelqu'un a l'heure ?

— Ma montre indique dix-huit heures, lança Nancy.

— La mienne également ! s'étonnèrent de concert Tom et Cynthia.

— Ce n'est pas possible, raisonna la jeune femme. À cette heure-là, nous étions encore dans la vallée. Il doit s'être écoulé au moins trois bonnes heures depuis.

— Pas de téléphone, pas de montre…, poursuivit l'Africain dans un murmure, il se passe décidément des choses bien singulières, ici…

Il avait de plus en plus de mal à se masquer la vérité. Et à la dissimuler aux autres. Les montres qui s'arrêtent toutes en même temps… N'avaient-ils pas déjà tous connu ça ?

— Bon ! Maintenant que tout le monde est rassasié, fit-il, je suggère de reprendre l'exploration des lieux. Les petits voyous nichent forcément quelque part, ainsi que les propriétaires, non ?

— Pourquoi dis-tu toujours « les » propriétaires ? lui demanda Nancy.

Elle aussi refoulait l'évidence au fond de son esprit. Tout cela était trop clair... Mais elle n'avait pas envie de reparler de cette affreuse histoire... Oh non !

— Le billet de commande que j'ai reçu mentionnait trois personnes, expliqua Tom. Mais tu as raison. Rien ne certifie que ce castel leur appartient. Il s'agit peut-être d'invités.

— Où sont-ils, alors ? fit Melaine.

— Eh bien... aucune idée. Je propose donc de fouiller cette bâtisse de fond en comble.

— Tout cela n'a pas de sens, intervint Cynthia. Enfin, réfléchissez. Nous sommes ici depuis plus de trois heures. Ils se seraient manifestés depuis longtemps, vous ne croyez pas ?

— Tu veux dire qu'ils m'auraient posé un lapin ?

— Et à nous, par la même occasion, poursuivit-elle. J'ai l'impression qu'il n'y a ici pas plus de musée ou de fondation écologique qu'il n'y en a sur la Lune.

— En tout cas, le castel de Blackforge existe bel et bien, dit Nancy. De ce côté-là, on ne nous a pas menti. J'ai rarement vu un

édifice dans un tel état de conservation. Sans parler des travaux de rénovation colossaux qui y ont été effectués.

— Cynthia a raison, reconnut Melaine. Tout ce qui nous arrive est loin d'être normal. C'est comme si on avait voulu nous attirer entre ces murs. Et ce feu, qui s'est allumé tout seul… Cette table, dressée à notre intention… Je me demande si quelqu'un va débarrasser…

— Il y a autre chose, se décida à dire Cynthia. Avez-vous remarqué la tapisserie, au fond de la pièce ? Le cavalier dont on voit la moitié du visage – si l'on peut appeler ça un visage –, il ne vous rappelle rien ?

— Je ne suis donc pas la seule à avoir fait la comparaison, murmura Melaine d'une voix grave.

— Que voulez-vous dire ? s'emporta Nancy, à qui la tournure de la conversation ne plaisait guère.

— Tu le sais très bien, non ? rétorqua Melaine.

— Oh ! Oh ! Pas de panique, les filles, d'accord ? gronda Tom. Explique-toi, Cynthia.

— Ce cavalier est un Immonde…

Un malaise pesant s'installa soudain à table. Tom Ndzouri fixa la jeune femme dans les yeux. N'avait-il pas eu une appréhension,

lui aussi, en découvrant le tableau tissé ? Il avait repoussé cette peur. Maintenant, elle refaisait surface de manière insidieuse, sournoise… Cynthia venait d'exprimer ce qu'il n'avait pas voulu imaginer. La roue avait tourné. Elle s'était arrêtée sur les mots « horrible vérité ».

C'était le troisième avion qu'ils prenaient depuis leur départ de Montréal. En soixante-douze heures, Laurent et Keewat en avaient vu, du pays. En toute autre circonstance, Lorri n'aurait pas manqué d'apprécier ce voyage. Mais la disparition inexpliquée de Cynthia et de leurs autres amis l'inquiétait au plus haut point. Il n'avait accordé qu'un regard distrait au paysage entre l'Angleterre et l'Irlande. Le Fokker les avait déposés à Galway. Ils s'étaient ensuite rendus au poste de police le plus proche. S'il était arrivé un accident à Cynthia, à Melaine ou à Nancy, ils seraient sans doute informés.

Tout le long du trajet, les trois amis, anxieux, avaient échafaudé des hypothèses. Leurs conclusions étaient les mêmes : les jeunes femmes s'étaient retrouvées toutes les

trois à ce mystérieux castel de la Forge Noire, et ils ne croyaient pas que cette rencontre fût le fruit du hasard. Avaient-elles planifié ensemble cette expédition ? Dans ce cas, pourquoi n'en avaient-elles rien dit ? Et où était passé Tom Ndzouri ? Avait-il renoncé à son projet ? Il restait bien des zones d'ombre dans cette angoissante affaire…

La police irlandaise n'avait pu les renseigner. Aucun rapport ne faisait mention d'un accident ou d'une disparition impliquant leurs amies. C'était à la fois rassurant et alarmant. En quittant le poste de police, ils étaient néanmoins en possession d'un élément important pour se lancer à leur recherche : un des agents leur avait expliqué sommairement comment se rendre à Blackforge.

— Si l'on se fie aux paroles du lieutenant Penridge, le castel ne serait rien d'autre qu'une immense ruine, dit Aude. Or, d'après Jean-Jacques Pelletier, Cynthia avait fait allusion à un important musée. De plus, il y a cette histoire de stage. Ça ne colle pas.

— Cynthia devait assister à un vernissage de collection, ajouta le Tchippewayan. Le lieutenant Penridge ignore peut-être que le castel a été rénové si ces travaux ont été effectués récemment.

— Les gens qui n'habitent pas les environs de Blackforge ne connaîtraient donc pas encore l'existence de ce musée ? fit Laurent, perplexe. Ça n'explique toujours pas pourquoi Cynthia, Melaine et Nancy n'en sont pas revenues, ni pourquoi leurs téléphones restent muets. Je pense que nous devrions louer un véhicule et nous rendre sur les lieux.

— Avant de se lancer sur les routes, que dirais-tu de manger un peu ? suggéra Keewat. Il est presque midi et je meurs de faim.

— D'accord. Raisonner le ventre vide n'est pas bon pour le cerveau. Il y a justement un restaurant, là-bas. Allons-y.

Attablé dans le snack, sous le feuillage d'un énorme philodendron, Laurent ne mangeait pas avec appétit. Assis en face de lui, Keewat et Aude partageaient son inquiétude. Les deux jeunes gens étaient heureux de se retrouver ensemble, après plusieurs mois de séparation, mais ils minimisaient volontairement ce bonheur, par respect pour Lorri.

— Si ça se trouve, lâcha l'Amérindien, nous nous faisons du souci pour pas grand-chose. Lorri, tu connais comme moi la passion de Cynthia pour son travail. Imagine que sur place, au castel de Blackforge, elle ait eu en

face d'elle des merveilles, des spécimens uniques, et pourquoi pas, des documents exceptionnels à étudier... En voyant la fascination de Cynthia pour cette collection, le responsable du stage lui aura peut-être proposé d'analyser dans le détail tous ces trésors. Cynthia aura estimé que c'était une occasion unique d'approfondir ses connaissances et elle aura allongé son séjour. Son stage s'est sans doute prolongé pour toutes ces raisons.

— Sans m'avertir ?

— Hum ! Je reconnais que c'est une chose à ne pas faire.

— Elle a peut-être tenté de te joindre, intervint Aude. Un problème technique l'en aura empêché.

— Et pour Melaine et Nancy ?

— Nous ne savons pas à quoi ressemble ce castel, continua Keewat. Le lieutenant Penridge a insisté sur ses dimensions hors du commun. Imagine, encore une fois, que nos deux journalistes se soient trouvées devant une rénovation exemplaire, un peu comme celle qu'a réalisée notre ami Yann, en France, sur cette petite île bretonne. Paf ! Le coup de foudre ! De quoi faire un article sensationnel !

Elles ne préviennent pas leur patron de peur qu'il les oblige à rentrer dans le délai qu'il leur a accordé. Qui plus est, Cynthia est sur place. Tu devines l'ambiance…

— Si tu as raison, elles vont connaître ma façon de penser, crois-moi !… Mais tu oublies une chose : l'absence de Tom, que nous n'avons pas non plus réussi à joindre. Il serait également là-bas ?

— Heu, pour Tom, je… je ne sais pas…, bredouilla le Tchippewayan.

— On peut quand même dire que tu as de l'imagination, ricana Laurent.

Mais Lorri n'était pas dupe. La brillante démonstration de son ami n'avait pour but que d'essayer de le rassurer. Il vida d'un trait son thé et alla régler l'addition. Les trois compagnons sortirent du snack et se dirigèrent vers l'agence de location de voitures.

⮯

— Il faut fuir d'ici ! laissa tomber Nancy. Au plus vite !

Si elle s'était sentie inexplicablement attirée par le château, tout à l'heure, maintenant, elle avait de nouveau très peur.

— En supposant que nous réussissions à manœuvrer le pont-levis, rien n'est moins sûr que nous retrouvions le chemin du retour dans cette noirceur, rétorqua Tom en secouant la tête, ce qui eut pour effet de faire s'entrechoquer les breloques de bois peint qu'il avait dans les cheveux.

— Écoutez ! leur intima Melaine. Vous entendez ?

— Ce sont les loups, dit Cynthia, au bout d'un moment. Ils rôdent autour du château. Si nous sortons, nous risquons de les rencontrer. Mais je ne pense pas que ce soit un réel problème. Contrairement à la légende, ils fuient l'homme... À moins qu'ils ne soient affamés, évidemment.

— Je suis sûre qu'ils le sont, enchaîna la jeune journaliste.

— Tu le fais exprès ! cria Nancy. Ça t'amuse de nous terroriser, hein ?

— Hé ! intervint l'Africain, on se calme ! Vous n'êtes pas seules. Je suis avec vous, non ? Inutile de vous dire que je suis capable de nous défendre si on nous attaque, n'est-ce pas ? Bien. Et si nous nous trompions ? Si cette tapisserie n'était qu'une simple interprétation imagée ? Tu as dit toi-même, Nancy, que

ce château datait du treizième siècle. Si mes souvenirs sont bons, c'est à cette époque que s'est déclarée l'épidémie de peste noire. Je suppose que l'Irlande n'y a pas échappé. Un artiste aura voulu peindre cette catastrophe. Le cavalier qu'il a représenté, entouré de démons, n'est peut-être que… comment dirais-je ?… la symbolisation de ce terrible fléau. Qu'en penses-tu, Cynthia ?

— Je voudrais que tu aies raison, Tom. Seulement, plusieurs choses me forcent à rester sur ma position. D'abord, en rentrant un soir chez moi, juste avant de recevoir la mystérieuse invitation, j'ai aperçu dans une vitre du hall d'entrée de mon immeuble le reflet d'une silhouette qui m'a effrayée. J'ai immédiatement chassé de mon esprit le souvenir que cette silhouette, celle d'un individu enveloppé d'une grande cape, au visage dissimulé par une capuche, avait fait ressurgir en moi. Ensuite, il y a l'odeur, celle de l'invitation. Je n'ai pas voulu la rattacher à ce souvenir funeste, mais aujourd'hui, je me souviens de cette odeur. C'est elle qui régnait dans le sanctuaire des Immondes. Maintenant, il y a ce cavalier, sur cette tapisserie… et cette étrange demeure. Je le répète, Tom, je voudrais te croire, mais je n'y arrive pas. D'ailleurs, tu viens toi-même de faire allusion à la peste noire. Nous savons que les Immondes sont étroitement liés à ce fléau. Rappelez-vous la légende d'Anselme Séverin.

— Moi aussi, j'ai vu cette silhouette, avoua Melaine. Je n'ai pas voulu te faire peur, Nancy. Le soir où nous avons reçu l'invitation, la silhouette m'est apparue dans le miroir de la salle de bain. Tu as même trouvé que je faisais une drôle de tête en sortant de la douche. Quant à l'odeur, comment l'oublier ?

— Pourquoi sommes-nous venus ici, alors ? hurla Nancy en se levant brusquement de sa chaise.

Dans son for intérieur, la jeune Anglaise le savait. Parce que tout comme Melaine, Cynthia et Tom, elle avait refoulé au plus profond de son esprit l'expérience subie dans le sanctuaire des Immondes. Pour l'effacer de sa mémoire à jamais et se convaincre qu'elle n'avait été, somme toute, qu'une supercherie.

— Quelle surprise nous attend à l'extérieur, d'après vous ? reprit Melaine en s'efforçant d'ignorer le ton angoissé de son amie. Doit-on explorer de fond en comble le castel, comme le suggère Tom, ou rester solidement enfermés dans les chambres, là-haut ?

— Nous ne savons pas ce que sont devenus les gnomes… pardon, les chenapans qui nous ont accompagnés dans les bois, ajouta Cynthia avec une grimace, pour conjurer le lapsus qu'elle venait de faire.

— Choisissons une des chambres, je vous en prie, geignit Nancy. Et passons-y la nuit, tous ensemble. Nous trouverons le moyen de fuir, demain, dès qu'il fera jour.

— D'accord, approuva le Kenyan. Et si quelqu'un vient nous déranger, j'en fais de la chair à pâté, conclut-il en bandant ses énormes muscles.

Ils choisirent la première chambre, à l'entrée du couloir, là où devait loger Tom. Lorsque Nancy, Melaine et Cynthia gagnèrent les leurs pour récupérer leurs sacs de voyage, les portes se refermèrent violemment, les glaçant d'effroi.

# 10

# Des bruits dans la nuit

Avant de quitter Galway, Laurent et ses amis s'étaient procurés une carte détaillée de la région. Lorri y avait tout de suite inscrit les précieuses indications fournies par le lieutenant Penridge. Pour ne pas risquer de se perdre, il traçait avec application leur route.

— Tu t'y retrouves? demanda Aude, assise à l'arrière de la Nissan.

— Jusqu'ici, ça va, répondit le jeune Québécois. D'après Penridge, nous devons rouler jusqu'à l'ancien aérodrome. À partir de là, un chemin rural nous mènera au castel. Selon mes calculs, nous devrions atteindre cet aérodrome dans un peu plus d'une heure.

— Le pays devient sauvage, dit à son tour le Tchippewayan, qui tenait le volant.

— Oui ! Et si on se fie à la carte, ça ne va pas s'arranger. Le château semble perdu au beau milieu des monts du Connemara, dans une zone de tourbières.

— Drôle d'endroit pour aménager un musée, poursuivit l'Amérindien. Ce genre d'édifice est habituellement construit dans les villes, non ?

— Pas nécessairement, répliqua Aude. En Auvergne, les forteresses isolées abondent. Il n'est pas rare d'y trouver des collections sur des sujets divers se rapportant à toutes les époques. C'est probablement la même chose ici. L'histoire celte est assez riche, ne l'oublie pas.

— Et peuplée de légendes, ajouta Laurent. Celle du roi Arthur et des Chevaliers de la Table Ronde est sans doute la plus célèbre.

— Les Bretons affirment qu'elle est née chez eux, dans la forêt de Brocéliande. Les Anglais, en Angleterre… Où est le vrai dans tout cela ? Allez savoir !

— Depuis notre dernière aventure, reprit Laurent, nous savons que toute légende cache une part de vérité. Le récit d'Anselme Séverin paraissait fantasque, mais après ce que nous avons vécu… Je me demande d'ailleurs ce qu'ils sont devenus…

— Les Immondes ? C'est curieux que tu repenses à cette histoire, dit Aude.

— Ne prononce pas ce nom-là, la supplia Keewat. *Nâhdudhi*… Mauvais.

Le Tchippewayan tourna le volant vers le bas-côté et freina brusquement.

— Ils ont besoin de nous…, murmura-t-il.

— Tu pourrais prévenir, se plaignit Aude, que sa ceinture de sécurité avait légèrement meurtrie.

— Elle a raison. Qu'est-ce qui t'arrive, tout à coup ? demanda Lorri.

— Un pressentiment, continua Keewat sur le même ton, les yeux perdus au-delà du pare-brise. Ils ont besoin de nous, j'en suis sûr…

— Cynthia ?

— Oui… Cynthia. Et Melaine, Nancy et Tom.

Lorri dévisagea son compagnon d'aventures, inquiet. Ce qu'il racontait ne pouvait pas être des salades, il le connaissait trop bien.

— Mais où sont-ils ?

— Désolé… je… je ne sais pas. Nous devons faire vite.

Il embraya et accéléra. La route parut interminable avant qu'ils n'atteignent enfin

l'aérodrome. L'Amérindien rangea la Nissan sur une petite surface gravillonnée et coupa le moteur. Ils avaient immédiatement reconnu le Beechcraft de Tom.

— Maintenant, nous sommes certains qu'ils se sont retrouvés à Blackforge, laissa tomber Aude. C'est de plus en plus bizarre.

— Quelque chose les a attirés ici. Le castel ? Cette histoire de stage ? Mais que vient faire Tom là-dedans ? dit Laurent comme s'il se parlait à lui-même.

Ils mirent pied à terre et pénétrèrent dans le local d'accueil. Comme leurs amis, précédemment, ils devinèrent tout de suite que les lieux étaient abandonnés. Ils fouillèrent néanmoins un peu partout à la recherche d'éventuels indices.

— Personne ne vient plus ici depuis longtemps, conclut Lorri en heurtant du pied une timbale toute bosselée. Allons voir l'avion de plus près.

Ils sortirent par la porte de service, traversèrent un stationnement envahi par les mauvaises herbes, et gagnèrent le bimoteur.

— Pas d'erreur, c'est celui de Tom, répéta Keewat en posant la main sur la poignée de l'habitacle. Ce n'est pas fermé. Fiente d'ours ! Vous sentez cette odeur nauséabonde ?

Laurent étira le bras, saisit une feuille de papier pliée en deux sur un des sièges, et la déploya.

— Peut-être de la nourriture avariée, dit-il. À moins que… Non. Sentez-moi ça ! C'est de ce bon de commande que vient l'horrible odeur !

Aude renifla le document avec précaution avant de s'en écarter vivement.

— Pouah ! Tu as raison. C'est dégueulasse !

Lorri commença à lire les lignes manuscrites sans s'apercevoir que son compagnon entrait en transe. Un cri poussé par Aude l'alerta :

— Keewat ! Qu'est-ce que tu as ?

— Ce sont eux, murmura l'Amérindien. *Nâhdudhi ! Nâhdudhi !*

Cynthia s'était précipitée sur la porte pour tenter de l'ouvrir, en vain. Elle se mit à la tambouriner énergiquement et hurla :

— Ouvrez ! Vous m'entendez ? Ouvrez ! Melaine, Nancy, Tom, je suis enfermée !

Elle cessa de marteler le bois épais. Aucun bruit ne lui parvenait. Ce n'était pas normal.

Ses amis auraient dû entendre son raffut depuis longtemps. Elle se retourna. Comme dans la chambre de Tom, il y avait un chandelier sur la table de chevet. Elle s'empressa de l'allumer aux flammes de l'âtre. Les ténèbres se dissipèrent un peu. Elle rejoignit la porte rapidement et se remit à la cogner de toutes ses forces.

— Tom, au secours !

Le silence qui succéda à son acharnement tomba comme une chape de plomb. Elle réitéra ses efforts une troisième, puis une quatrième fois, avant de s'avouer vaincue. Elle se laissa alors glisser le long du lit, sans savoir que ses amis, à côté, subissaient le même sort qu'elle.

Vlan ! Tom Ndzouri avait sursauté. La porte venait de se fermer violemment, sans doute sous l'effet d'un courant d'air. Il haussa les épaules, puis continua à activer le foyer. Une réserve de bûches attendait sagement à proximité. Au moins, ils ne passeraient pas la nuit au froid. Délicate attention de la part de leurs mystérieux hôtes. L'image du cavalier encapuchonné revint à sa mémoire. Et s'ils

se trompaient ? Si tout cela, après tout, n'était que coïncidences ? Ce castel ne serait pas celui où ils étaient attendus... *Si ça se trouve, le véritable castel de Blackforge est là, à quelques kilomètres,* pensa-t-il. *Ses propriétaires nous attendent encore et nous traitent de tous les noms parce que nous ne savons pas respecter un rendez-vous. Et les mômes ? Une bande de sales petits vauriens qui doivent se marrer du tour qu'ils nous ont joué en nous enfermant dans cette bâtisse inoccupée... Mais, la table ? Le feu qui s'allume tout seul dans la cheminée ? Et les sacs dans les chambres ? D'adroits tours de passe-passe ?* Tom Ndzouri haussa ses puissantes épaules une seconde fois. *Que fabriquent les filles ?* Il marcha vers la porte qui s'ouvrit sans un grincement. La première chose qu'il constata fut les portes des chambres de ses amies : elles étaient fermées. Le colosse traversa le couloir faiblement éclairé par les flambeaux, et tapa discrètement de l'index replié sur celle de Cynthia. Il n'obtint pas de réponse, ce qui le poussa à ouvrir. La surprise fut de taille. Plus de feu dans la cheminée, encore moins de Cynthia. La pièce, froide, paraissait vide depuis des lustres. Cette impression fut encore renforcée lorsqu'il s'approcha de l'âtre, qu'il tâta

de la main. Il était froid, lui aussi, sans la moindre trace de suie.

— Je me suis trompé de chambre, murmura-t-il en sortant. Cynthia ? Melaine ? Nancy ?

Il frappa à une autre porte, qu'il ouvrit sans attendre. Tout comme la première, cette chambre était inoccupée. Il passa à une troisième, puis à une quatrième, et enfin visita toutes les pièces accessibles de l'étage. Elles étaient vides !

Tom Ndzouri regagna le couloir, pris d'un léger vertige. Qu'est-ce que tout cela voulait dire ? Il laissa échapper un juron en swahili, bondit vers l'escalier qu'il dévala quatre à quatre. Dans la salle à manger, la table était débarrassée ; la cheminée, éteinte, sans le moindre résidu de braise.

Le géant fit volte-face en jurant de plus belle. Il se dirigea vers les chambres, puis s'arrêta, surpris. Le couloir était envahi d'une luminosité pourpre qui n'existait pas quelques minutes plus tôt. Il marcha lentement vers le fond du corridor. Au-dessus de la dernière porte, celle surmontée de l'affreuse tête sculptée, une rosace irradiait. Cette porte, fermée à double tour il n'y a pas si longtemps, il en était certain, béait sur un carré d'ombre.

— Ohé ! Les filles ! Vous êtes là ?

Le silence pour seule réponse. *Non, nous ne nous sommes pas trompés,* songea Tom en se rapprochant. *Je reconnais cette rosace. Il y avait les mêmes dans leur sanctuaire. Ces salauds nous ont attirés dans un piège! Les filles… Je dois aller à leur recherche.* Il avança et disparut dans l'obscurité.

Keewat avait fini par recouvrer toute sa lucidité, le visage entouré par les mains de sa compagne, qui lui donna un baiser.

— Ça va mieux ? s'enquit Aude. Où étais-tu, encore ? Chaque fois que ça t'arrive, tu me fais peur.

— Je ne sais pas où j'étais, répondit le Tchippewayan en se redressant. Je les ai sentis. Crois-moi, Lorri, ils ont retrouvé leurs traces. Les Immondes sont de retour.

— Bon sang, Keewat ! Tu pourrais nous en dire un peu plus ! s'emporta Laurent. Les Immondes sont au château ?

— Je… je ne sais pas.

— Peu importe. On y va.

Ils regagnèrent la Nissan. Aude montra un panneau indicateur.

— Attendez, je vais voir.

Elle revint en courant.

— C'est le chemin que nous cherchons, expliqua-t-elle. Il est bien écrit « castel de Blackforge ».

Lorri s'installa au volant et pressa ses amis :

— En route, il n'y a pas une minute à perdre !

Malgré le mauvais état du terrain, creusé d'ornières et gorgé d'eau par les pluies, Laurent roulait à toute vitesse. Ses compagnons s'accrochaient du mieux qu'ils pouvaient, ce qui ne les empêchait pas d'être rondement secoués. Finalement, après avoir frôlé plusieurs fois la catastrophe, le jeune Québécois freina à côté de deux autres véhicules, une Rover et un petit quatre quatre.

— Impossible d'aller plus loin. Qu'est-ce que cela veut dire ? En voilà un drôle d'accès ! dit-il en coupant le contact. Il ne nous reste plus qu'à continuer à pied, si je comprends bien.

— Un musée flambant neuf auquel on ne peut pas accéder en voiture ? s'étonna Aude. C'est franchement bizarre. Apparemment, d'autres visiteurs ont fait comme nous.

Lorri verrouilla la Nissan et alla inspecter la Rover et le quatre quatre.

— Ils sont fermés à clé, dit-il. Ils ne peuvent rien nous apprendre.

Puis il partit à grands pas sur la terre boueuse.

— Il est inquiet, murmura l'Amérindien. J'aurais dû me taire à propos des Immondes. Suivons-le.

Une demi-torpeur ayant fini par l'envahir, Cynthia s'était allongée sur le lit après avoir remis quelques bûches dans la cheminée. Continuer à marteler la porte ? C'était inutile, elle l'avait deviné. La jeune scientifique avait retourné longuement la situation dans sa tête, et la seule explication valable, cohérente, s'avérait qu'ils s'étaient trompés. Ce château n'avait rien à voir avec l'invitation qu'elle avait reçue. Trop d'événements insolites s'étaient passés depuis leur arrivée dans ce lieu. Insolites et inquiétants. On voulait leur faire peur… Pari gagné. Mais où étaient-ils tombés, tous les quatre ? Elle finit par fermer les yeux, vaincue par la fatigue.

Depuis combien de temps naviguait-elle ainsi entre la veille et le sommeil ? Elle aurait

été incapable de le dire. Soudain, quelque chose la fit sortir de sa léthargie. Des bruits confus ou des éclats de voix.

Cynthia quitta le lit et se dirigea vers la fenêtre. Au-delà des barreaux, elle avait vue sur la cour. Les torches continuaient à brûler. Elle vit traverser trois cavaliers vêtus de linceuls noirs autour desquels gesticulait une bande de nains difformes, ceux qu'ils avaient pris pour des enfants savamment grimés.

— Ce sont eux ! murmura avec effroi la jeune femme. Les personnages du tableau !

Elle se hissa sur la pointe des pieds et les suivit des yeux jusqu'à ce qu'ils disparaissent hors de son champ de vision, vers le donjon.

Cynthia quitta la fenêtre et se réfugia sur le lit. *Oh ! Lorri ! Si tu pouvais être ici...* Elle n'était pas une froussarde, mais la situation prenait une tournure de plus en plus terrifiante. Si elle ne se trompait pas, ils allaient devoir affronter une nouvelle fois ces cauchemardesques Immondes. Ainsi, ils n'étaient pas morts. Ce mot avait-il d'ailleurs un sens pour ces créatures ? Les conclusions tirées de leur dernière aventure n'avaient nullement élucidé le mystère de leur disparition. Dans quel but les avaient-ils attirés entre ces murs ?

Car il s'agissait bien de cela et pas d'autre chose. Curieusement, elle entendit des jeunes gens rire derrière la porte. Elle hésita, puis sauta du lit. Elle appliqua l'oreille contre le battant, avant de risquer :

— Melaine ? Nancy ?

Cynthia posa la main sur le bec-de-cane. À sa grande stupeur, la porte s'ouvrit. Les éclats de voix provenaient d'une chambre voisine. Elle traversa le couloir, puis jeta un regard discret dans la pièce dont la porte était entrouverte. Son cœur battait la chamade. Elle était à mille lieues de s'attendre à une telle scène. Lorri et Melaine, couchés l'un sur l'autre, s'embrassaient avec fougue et passion. Et le Québécois avait même sur le dos le tricot blanc, en laine torsadée, qu'elle lui avait offert pour son dernier anniversaire !

La jeune femme se sentit chanceler. Elle recula précipitamment et heurta le chambranle de la porte. Laurent et Melaine sortirent en courant vers le fond du couloir sans même la remarquer. Ils disparurent, happés par les ténèbres.

Cynthia secoua la tête. Comment était-ce possible ? Comment Lorri pouvait-il se trouver ici ? À quoi rimait cette affreuse comédie

entre Melaine et lui ? Elle se rappela soudain ses autres compagnons. Où étaient Tom et Nancy ? Elle se rua vers leurs chambres. Les foyers ne brûlaient plus dans les cheminées. Et il n'y avait aucune trace du Kenyan, ni de son amie anglaise, encore moins de leurs effets personnels.

Cynthia décida de gagner le rez-de-chaussée. Quelqu'un avait débarrassé la table. Un froid pénétrant régnait dans la salle à manger. On avait également pris soin d'éteindre le feu et de nettoyer l'âtre. L'idée de sortir à l'extérieur ne lui vint même pas à l'esprit. Pas question d'aller à la rencontre des personnages qu'elle avait vus dans la cour. Elle remonta l'escalier et marcha vers le fond du couloir. Elle observa une étrange luminosité pourpre qui s'ajoutait à celle dissipée par les flambeaux.

— Une rosace, murmura la scientifique. Je ne l'avais pas remarquée la première fois. Et cette porte était fermée à double tour, j'en suis sûre… Je dois en avoir le cœur net. Lorri doit me dire ce qu'il fait ici.

Malgré le risque qu'entraînait sa décision, Cynthia, resserrant son manteau, passa sous la rosace et s'engouffra à son tour dans les ténèbres.

Melaine, les poings endoloris, avait cessé de frapper la porte comme une forcenée. Un courant d'air l'avait violemment refermée et elle s'était coincée.

— Nancy, viens m'aider, je suis enfermée ! C'est pour aujourd'hui ou pour demain ?

Elle attendit patiemment avant de se remettre à cogner. Son amie était-elle devenue sourde comme un pot ?

— Tom, tu peux venir m'ouvrir ? Cynthia ? Ohé !

La jeune Française colla l'oreille à la porte. Elle n'entendait pas un bruit, jusqu'à ce qu'une voix, qu'elle reconnut, la sermonne sévèrement depuis le couloir.

— Maman ? C'est toi ?

Elle se rendit soudain compte de l'absurdité de ce qu'elle venait de dire. Comment sa mère aurait-elle pu être ici et lui reprocher de faire des âneries, comme elle l'avait trop souvent fait lorsqu'elle était encore à la maison ? Ça n'avait pas de sens.

— Melaine ! Ça n'arrive qu'à toi, des choses pareilles ! Tu es une petite nigaude ! Quand te décideras-tu à te conduire intelligemment, comme ta sœur ? Prends exemple sur elle, je te l'ai déjà dit ! Sors de là !

C'était bien sa mère. Cette fois, c'en était trop. Melaine saisit à pleine main la poignée, tira. La porte s'ouvrit. Elle eut juste le temps d'apercevoir la silhouette de sa mère disparaître par une porte, au fond du couloir. Elle se rua vers la chambre de Tom.

— Tom, que fait ma mè…

Elle parlait dans le vide. Ses amis brillaient par leur absence. Pourquoi avaient-ils éteint le feu dans la cheminée ? Il faisait aussi froid que dans le reste du castel. Elle sortit et visita les autres chambres, en commençant par celle où aurait dû se trouver Nancy. Mais toutes les pièces étaient désertes. Melaine se rappela que lorsqu'ils avaient atteint l'étage, la première fois, bon nombre d'entre elles étaient verrouillées. Qui les avait ouvertes ?

La jeune femme se rendit à la salle à manger, comme les autres l'avaient fait. Lorsqu'elle remonta à l'étage, la peur la submergeait. Elle était seule à déambuler dans cette effrayante bâtisse !

Melaine marcha jusqu'au fond du couloir, vers cette étrange source de lumière pourpre. C'était par là qu'avait disparu sa mère. *Une rosace*… Oui, c'était bien une rosace qui

brillait ainsi. Elle jeta un regard en arrière, hésita. Il fallait absolument qu'elle sache ce que sa mère faisait ici. Elle plongea dans les ténèbres.

Nancy se ressaisit. Ses yeux étaient embués de larmes, plus par la colère que par la peur. Ah ! Ils devaient bien rire. Lui faire croire qu'elle était enfermée ! Cette fois-ci, elle allait flanquer une belle gifle à Melaine, de quoi lui faire passer l'envie pour longtemps de se moquer d'elle. Quant aux autres, ils allaient également subir ses foudres.

— Ouvrez ! Bande de gros malins ! Ça ne marche pas !

Elle donna un grand coup de pied dans la porte. Tant pis pour le décor d'époque.

— Alors ? Vous ouvrez, oui ou non ?

Au bout de plusieurs minutes à piétiner le plancher, le doute finit par la gagner. Elle cria une nouvelle fois après ses amis. Ce silence n'était pas du tout normal. Mais alors, pas du tout ! Bien sûr, Melaine s'amusait à l'effrayer de temps en temps, mais jamais au-delà d'une certaine limite.

Environ un quart d'heure passa, puis deux. Maintenant, elle avait la conviction qu'il était arrivé quelque chose. Et sa montre qui ne marchait plus… Elle était peut-être enfermée depuis plus longtemps encore. Si ce n'était pas ses amis qui lui avaient joué cette mauvaise plaisanterie, qui alors ?

Nancy sentit l'épouvante monter en elle. L'image de ces affreux gnomes revint à sa mémoire. Ils se tenaient peut-être là, derrière la porte, à se passer la langue sur leurs dents pointues… Et qui plus est, ils la feraient peut-être rôtir à la broche, en bas, dans cette immense cheminée. Melaine ne lui reprochait-elle pas régulièrement de manger comme quatre, d'être grassouillette ?…

Nancy se recroquevilla contre le montant du lit. Elle devait se forcer à penser à autre chose pour ne pas céder à la panique. Ah ! Si Keewat et Lorri étaient ici ! Ces deux-là devaient pester contre leur absence au rendez-vous qu'ils s'étaient donnés à Londres ! Et elle voyait d'ici la tête de William Crawford si elles ne rentraient pas au bureau à la date fixée.

— Nancy ?

— Nancy, tu es là ?

Elle ne rêvait pas. Quelqu'un venait bien de l'appeler à travers la porte. Deux voix différentes, qu'elle avait même cru reconnaître.

— Laurent ? Keewat ? C'est vous ?

— Nancy ?

— Nancy, tu es là ?

Pas d'erreur, c'était bien Lorri et Keewat. Elle bondit hors du lit.

— Je suis là ! hurla-t-elle en secouant la porte de toutes ses forces par le bec-de-cane.

La poignée céda soudain. Nancy fit irruption au milieu du couloir sans se poser plus de questions. Elle eut tout juste le temps d'apercevoir les cheveux de jais de l'Amérindien. Qu'allaient-ils faire tous les deux dans ce trou sombre ? Elle courut vers le fond du couloir en criant :

— Cynthia, Melaine et Tom sont-ils avec vous ?

Nancy jeta un regard étonné à la rosace avant de reporter son attention vers les premières marches de l'escalier.

— Hé ! Attendez-moi !

Elle se lança dans les ténèbres.

# 11

# Rien que des ruines

Aude, Keewat et Lorri avaient emprunté le chemin sur plusieurs kilomètres à travers landes, marécages et forêts, avant de s'arrêter près d'un sous-bois composé d'arbres serrés et enchevêtrés. Un saule, en particulier, à l'allure très étrange, les intriguait.

— Croyez-vous que quelqu'un l'a sculpté ainsi pour indiquer la route à suivre ? demanda la jeune femme. Regardez cette branche. On dirait un bras, n'est-ce pas ? Et ces branchettes, une main à l'index tendu…

— Ce qui est certain, constata Laurent, c'est que le chemin continue dans cette direction. Qu'est-ce que tu en penses, Keewat ?

— Mmm… Peut-être, répondit l'Amérindien.

— Que veux-tu dire par « peut-être » ?

— Je n'aime pas cet arbre. J'ai l'impression qu'il se fiche de nous. Au Canada, des arbres de toutes les formes et de toutes les tailles, ce n'est pas ce qui manque, mais je n'en ai jamais vu un comme celui-ci. Ce morceau de tronc a vraiment l'aspect d'une tête qui sourit en coin… Je n'aime pas les sourires en coin. Ils dissimulent toujours quelque chose.

— Aude a probablement raison, quelqu'un l'a sans doute forcé à pousser ainsi. Ce que nous voyons n'est pas le résultat de la nature, et dans ce cas…

— … dans ce cas, il ne me plaît pas davantage, coupa le Tchippewayan en humant l'air comme un lynx sur une piste.

— Nous n'avons pas le choix. Je ne me vois pas pénétrer ce fouillis inextricable de branches à mains nues. Suivons cette direction, nous verrons bien.

Au bout de quatre cents mètres, le chemin s'écarta du sous-bois. Il se mit à serpenter entre les épicéas, les aulnes et les châtaigniers, et mena les trois compagnons vers une nouvelle zone de tourbières. Des gouttes de pluie s'abattirent soudain. Aude fit la grimace en remontant frileusement la fermeture de son blouson. Keewat et Lorri l'imitèrent et resserrèrent le col de leurs vestes. Il ne faisait sans doute pas plus froid qu'au Québec, mais l'humidité ambiante collait à la peau. Le chemin se mit à descendre, puis une plaine assez étendue s'ouvrit à eux, traversée de temps à autre par des vols d'oiseaux que Keewat identifia comme des perdrix blanches. Aussi loin qu'ils pouvaient poser les yeux, ils ne voyaient aucun signe du mystérieux castel de Blackforge.

— Arrêtons-nous, décida Laurent en extirpant la carte géographique de sa poche.

— Cette carte n'est pas assez précise, jugea le Tchippewayan au bout d'un moment. Le chemin que nous suivons n'y figure pas. Nous ne sommes pas plus avancés.

— Bah ! Nous allons finir par rencontrer quelqu'un, dit Aude avec optimisme. L'Irlande n'est pas un désert. On pourra nous renseigner.

— Nous nous sommes fourvoyés, constata Laurent. Regardez. Ces lignes indiquent le relief. D'après Penridge, le castel est érigé en haut d'une colline, c'est-à-dire ici… Or, nous sommes descendus dans la plaine.

— Ah ! J'avais bien dit qu'il fallait se méfier de cet arbre, clama Keewat. En attendant, ces

petits rectangles dessinés, là, dans la zone où nous nous trouvons, ne représentent-ils pas des habitations ?

— Exact ! approuva Lorri. Nous n'avons plus qu'à nous y rendre. Une âme charitable nous indiquera le bon chemin.

Il fixa le ciel et regarda sa montre. L'heure tournait. Dans peu de temps, le jour se mettrait à décliner. Ce détour leur avait sans doute coûté un temps précieux. Il replia la carte et invita ses compagnons à se presser.

Ce fut la fumée s'échappant d'une cheminée qui les orienta. Le village était à moins d'un kilomètre. Ils marchaient à grandes enjambées quand l'Amérindien s'arrêta brusquement.

— Vous sentez cette odeur ?

— La putréfaction ! s'exclama Lorri. Il doit y avoir un animal mort dans les parages.

— Ça vient de là ! fit Aude en se bouchant le nez.

Elle désignait une clairière. Un spectacle peu ragoûtant s'offrit à leurs regards. Deux brebis et un mouton gisaient sur le sol,

égorgés. Keewat s'agenouilla auprès d'une des bêtes pour étudier sa blessure.

— Cette brebis n'est pas morte depuis très longtemps… Pas plus de vingt-quatre heures, conclut-il. C'est étrange, elle est exsangue… comme si on avait sucé tout son sang.

— Des chiens errants, peut-être ? suggéra Aude. Je ne connais pas la faune sauvage de ce pays, mais il ne doit pas y subsister de plus gros carnassiers.

— Des chiens ne boivent pas le sang de cette manière, contesta Lorri. Et les corps présenteraient d'autres plaies.

— Regardez cette morsure, reprit l'Amérindien. Elle ne correspond pas à celle qu'aurait faite un chien. Elle n'est pas assez large. Qu'est-ce qui a bien pu tuer cet animal ?

— Ces bêtes appartenaient probablement aux villageois. Ils nous fourniront la clé de ce mystère. Hâtons-nous de les rejoindre.

Ils atteignirent la première maison au bout d'une autre heure de marche. La nuit tombait. Laurent comptait sur l'amabilité des habitants pour qu'ils les emmènent en voiture jusqu'au château, mais lorsqu'il vit l'état dans lequel se trouvaient les habitations, il sut qu'il s'était fait des illusions. Le village était à l'abandon, excepté une chaumière adossée à une petite chapelle, à l'intérieur de laquelle brillait une faible lumière. Un peu plus loin, de longues constructions, abandonnées également, constituaient le dernier vestige de ce qu'avait dû être une carrière d'extraction de tourbe. Tout autour, les terres, dévastées par l'exploitation, ressemblaient à un véritable champ de mines. Nulle part il n'avait aperçu le moindre véhicule.

— C'est bien notre veine ! maugréa-t-il. J'espère qu'ils possèdent au moins une auto, quelque part… Une toute petite auto.

— Sinon ? interrogea Keewat.

— Nous devrons leur demander l'hospitalité pour la nuit. Et Cynthia qui a besoin de moi…

Aude décolla une mèche de ses cheveux plaquée sur son visage par la pluie, afin d'être un peu plus présentable. Elle avança jusqu'à la porte et frappa quelques coups. Il y eut un remue-ménage, puis le battant s'ouvrit légèrement.

— Excusez-nous de vous déranger…, commença la jeune femme, en anglais.

— Arrière, démons ! hurla une voix, ou je vous asperge de cette eau bénite !

Les trois amis se regardèrent, surpris par la réaction de l'occupant. Concluant qu'ils avaient peut-être affaire à un simple d'esprit, Lorri bloqua la porte du pied pour éviter qu'il ne la referme, et s'empressa d'expliquer :

— Vous n'avez rien à craindre, monsieur. Pouvez-vous juste nous dire où se trouve le castel de Blackforge ?

— Par saint Patrick ! Ne parlez pas de cet endroit maudit ici. Avancez, que je vous voie mieux.

Le battant s'ouvrit davantage, et la lumière d'une lampe les éclaira au visage. Ils reconnurent un ecclésiastique en robe de bure. Le vieil homme les toisa du bas, car il était de petite taille, puis d'un geste rapide, les aspergea d'une giclée d'eau tirée du récipient qu'il avait en main.

— Franchement, vous ne pensez pas que nous sommes assez trempés comme cela, ironisa Keewat en s'ébrouant.

— Par saint Patrick ! Qui êtes-vous ? reprit le vieillard avec un ton plus amène, son eau bénite n'ayant eu aucun effet notoire sur les intrus debout sur son seuil.

— Je m'appelle Aude de Grands-Murs, se présenta l'Auvergnate. Voici Keewat… et

Laurent Saint-Pierre. Nous avons dû laisser notre voiture à quelques kilomètres d'ici. Nous voudrions nous rendre au castel de Blackforge. Je crains que nous nous soyons égarés.

— Vous êtes au village de Blackforge. Du moins, ce qu'il en reste. Quant au castel, il est... là-bas ! Loin ! Et c'est bien ainsi !

— Heu... S'il vous plaît, auriez-vous l'amabilité de nous y conduire ? poursuivit Aude le plus gentiment possible.

— Par saint Patrick ! Jamais ! Et surtout pas la nuit ! D'abord, qu'iriez-vous y faire ?

— Pouvons-nous entrer nous réchauffer ? intervint Laurent.

— Ma foi, il me semble que nous n'avons rien à craindre de vous, dit le vieil homme en s'effaçant. Je suis le père Andrew. Veuillez excuser l'accueil, mais nous vous avions pris pour les monstres. Heureusement, vous ne leur ressemblez pas du tout. Entrez ! Hé ! Little John ! Tu peux sortir de ton trou.

La porte d'un placard s'ouvrit en grinçant. Une tête apparut, puis un corps menu, haut comme trois pommes. L'enfant avança timidement.

— Eh bien, Little John ? Tu vois bien qu'ils ne ressemblent pas à ces affreux nabots !

— Ces gens-là doivent être bien redoutables pour te faire peur ainsi, fit Aude en se mettant accroupie pour serrer la main du petit garçon.

— Ce ne sont pas des gens, mais des nains ! lança Little John. Ils sont très méchants ! Ils vivent au château.

— Ne souriez pas, il dit la vérité, certifia le père Andrew. Asseyez-vous. Je n'ai pas grand-chose à vous offrir, si ce n'est une tasse de ce potage qui cuit sur le feu. Poireaux, pommes de terre, une pointe d'ail…

— Avez-vous une automobile ? demanda Lorri. D'après ce que vous venez de dire, le castel est à plusieurs kilomètres ?

— Je n'ai pas d'auto, jeune homme. Désolé. Mais qu'avez-vous à vouloir visiter ces ruines, en pleine nuit ?

— Ma compagne a été invitée au musée pour y effectuer un stage, ainsi que quelques-uns de nos amis. Nous aimerions les rejoindre.

— Un musée, dis-tu ? Il n'y a pas plus de musée au castel de Blackforge qu'il n'y en a ici. Il ne reste que des ruines, là-bas, comme je te l'ai dit. Des ruines hantées par des monstres !

— Nos amis y sont, murmura Keewat. Ils ont besoin de nous.

— Depuis quand ? demanda l'ecclésiastique, affolé.

— Sans doute depuis plusieurs jours, répondit Lorri.

⮷

La déception de s'être aussi facilement égarés ne les empêchait pas d'apprécier la soupe délicieuse du père Andrew. Après des heures passées sous la pluie, la chaleur se dégageant du potage et celle du vieux poêle, devant lequel ils avaient mis leurs manteaux à sécher, leur faisait beaucoup de bien. Le vieil homme ne cessait de répéter que le castel de Blackforge n'était qu'un amoncellement de ruines. Jamais ces ruines n'avaient subi la moindre rénovation, à cause de leur réputation.

— Dans ce cas, qu'y font les nains auxquels vous avez fait allusion ? questionna Lorri.

— Ceux-là ? De véritables monstres…, murmura le père Andrew. Au service d'autres monstres, plus redoutables encore : les Maîtres de la Forge Noire.

— Il y aurait donc eu, jadis, une forge à l'intérieur du château ? demanda à son tour Aude.

— Autour de laquelle s'est bâtie une légende, n'est-ce pas ? intervint Keewat. Il paraît que ce pays en est rempli.

— Oui, oui, mes jeunes amis. Des bonnes et des mauvaises légendes… Celle de la Forge Noire remonte au XIIIe siècle. On raconte qu'autrefois le château était la propriété de terribles frères triplets qui pactisaient avec le diable. Ils s'appelaient Dagmar, Danoal et Tugal. Leur rôle consistait à alimenter le foyer de la forge afin que jamais il ne s'éteigne. Devinez de quelle manière ?… Avec des êtres vivants ! Oui ! Des hommes, des femmes, des enfants que l'on jetait au milieu de la tourbe, dans le brasier !

— Le chemin direct pour l'enfer ! coupa Lorri. Dans quel but ?

— Le pouvoir des ténèbres… La puissance de leurs sortilèges s'en trouvait accrue. Ils envoyaient leurs affreux nabots ratisser les campagnes avec pour mission d'attirer les égarés vers le castel… Vous allez voir.

Le vieil homme quitta la table et revint quelques secondes plus tard, chargé d'un recueil épais.

— Page six cent soixante-six, annonça-t-il. Tenez ! Regardez ! Cette gravure montre une tapisserie sur laquelle ils sont représentés.

Les trois compagnons se penchèrent. L'image dévoilait trois cavaliers vêtus de grandes capes noires, entourés d'une horde gesticulante de petits individus difformes et repoussants. Un des cavaliers avait le visage en partie découvert. Malgré la taille réduite de l'illustration, ce visage était effrayant.

— Les Immondes ! souffla Laurent en sentant soudain ses entrailles se tordre.

# 12

# Rendez-vous à Blackforge (*bis*)

Ils étaient de retour. Par quelle diablerie, cette fois-ci ? Lorri s'était attendu à ce que les événements se précipitent dans ce sens, même si, au fond de lui, il avait refusé d'y croire. Qui étaient ces individus, exactement ? D'où venaient-ils ? Ces questions n'avaient toujours pas trouvé de réponses satisfaisantes. La magie et l'occulte n'expliquaient rien, bien au contraire. C'était malgré tout dans cette catégorie qu'ils avaient dû classer leur horrible rencontre avec les Immondes, en Bretagne, faute de mieux. Keewat hocha lentement la tête :

— Je ne m'étais pas trompé, laissa-t-il tomber.

— Qui sont ces Immondes ?

La question du père Andrew tira Lorri de sa réflexion, mais Aude prit la parole à sa place :

— Il y a quelques mois, commença la jeune femme, nous étions ensemble à Belle-Île-en-Mer, en Bretagne. Nous avons été mêlés à une étrange histoire. De sinistres personnages, les Immondes, avaient établi sur l'île un genre de sanctuaire où ils envoûtaient les gens. À l'aide de masques qu'ils confectionnaient dans du cambouis, ils les forçaient à faire des choses contre leur gré. Cela allait même parfois jusqu'au crime. Cynthia, Melaine, Nancy et Tom, nos amis qui sont présentement au castel, ont été directement victimes de ces sortilèges. Nous avons pu les sortir de ce mauvais pas grâce à Lorri...

— N'oublie pas Anselme Séverin, coupa le Québécois. Sans lui, je n'aurais rien pu faire.

— Il y a eu une enquête de police, poursuivit Aude, mais ça n'a rien donné. La plupart des gens qui avaient été envoûtés s'en sont sortis. Les Immondes, eux, ont disparu sans laisser de traces. Le sanctuaire également... Comme si tout cela n'avait jamais existé.

— Le plus étonnant, ajouta Laurent, c'est qu'Anselme Séverin, que je pouvais voir en

chair et en os… enfin, heu… il me semble, était mort depuis six cents ans. Il apparaissait et disparaissait comme ça… pfuiiiit ! Je ne croyais pas aux fantômes, mais après une expérience pareille…

— Anselme Séverin était curé, précisa Keewat. Lorsque la peste noire a décimé les populations d'Europe, au XIII^e siècle, son chemin a croisé celui des Immondes. Selon lui, ces êtres étaient en partie responsables du fléau qui terrassait les hommes dans d'affreuses souffrances. La vie de ce prêtre devint alors un combat. Il consigna ce combat dans un carnet, qu'il dissimula, avant de mourir, à l'intérieur d'une vieille église, à Belle-Île. Nous avons eu ce carnet en main. Dans ces notes, le curé Séverin n'hésitait pas à qualifier les Immondes d'êtres maléfiques, sortis tout droit de l'enfer. Cela paraît insensé, mais il semblerait que ces êtres soient doués d'immortalité… comme des esprits.

Le père Andrew adressa un clin d'œil rassurant à Little John, bien près de se réfugier à nouveau dans son placard.

— À quoi ressemblaient ces individus ? demanda l'ecclésiastique. Si je fais le calcul, ils seraient âgés de six siècles ?

— À ça ! répondit Aude en désignant la gravure. Il n'y a pas d'erreur.

— Parlez-nous de ce qui se passe ici, mon père, le pressa Lorri.

— Vous prendrez bien un peu de vin de messe, fit le vieil homme en se dirigeant soudain vers la cuisine.

Il revint avec une bouteille remplie d'un liquide ambré, et quatre verres. Lorri en but une gorgée et manqua de s'étouffer.

— C'est du whisky irlandais, expliqua le père Andrew. Très efficace contre l'humidité… et les rhumatismes. Ce qui se passe ici ? Des choses étranges, oui, enchaîna-t-il. Personne ne sait d'où ils sont sortis. Par « ils », j'entends ces trois cavaliers encapuchonnés et les nains que nous avons vus un jour. Bien que… Mais je vous parlerai de cela après… Je dois dire que bien peu de monde fréquente ces parages, si ce n'est à la belle saison. Prenez certaines cartes spécialisées de la région. Vous verrez que le castel de Blackforge y figure : trois petits points indiquent que ce sont des ruines. Pas mal de personnes veulent visiter ces ruines. Croyez-moi si vous voulez, mais on ne les trouve jamais à la même place… quand on les retrouve. C'est un peu comme si le château se déplaçait. Ou comme si le paysage changeait d'un promeneur à l'autre. À quelques kilomètres d'ici, il existe une curiosité de la nature. Un arbre qui a la forme d'un être humain…

— Nous sommes passés devant, l'interrompit Keewat. Il ressemble à un homme qui montre le chemin en ricanant, n'est-ce pas ?

— Comment, en ricanant ? s'étonna le religieux. Non ! Bien au contraire ! Il a l'apparence d'un pauvre bougre torturé par la douleur !

— Ça, alors ! s'exclama Lorri. Il s'agit probablement d'un autre arbre… Je vous assure que celui que nous avons vu pointait le doigt dans une direction précise, le sourire aux lèvres.

— Direction que nous avons suivie, ajouta Aude.

— Et par la suite, nous nous sommes égarés, précisa à son tour le Tchippewayan.

— Par où êtes-vous venus ? Par le vieil aérodrome ? Dans ce cas, il ne peut s'agir que du même saule, reprit le père Andrew. Voilà un sortilège de plus ! La légende dit que cet arbre est en réalité un paysan qui œuvrait au château. Ne supportant plus ce qu'il voyait là-bas, le pauvre se serait enfui. Les Maîtres de la Forge Noire, pour le punir, lui auraient jeté un sort… Ce que vous me racontez là est encore plus atroce. Son âme serait donc toujours prisonnière de ce corps en bois noueux ? Mon Dieu, venez-lui en aide…

— Continuez votre histoire, s'il vous plaît, demanda Laurent.

— Oui, oui… Le chemin qui mène au castel se trouve en bordure de ce saule. Les cavaliers et les gnomes sont apparus dans la région, il y a quelques mois. Je fais un peu d'élevage. Oh ! Pas grand-chose, quelques brebis et quelques poules, de quoi subvenir aux modestes besoins de la petite communauté de sans-abri, rassemblée ici, qui a pour projet la réhabilitation du village. J'appartiens à l'Ordre de Saint-François d'Assise, voyez-vous, et j'accueille les gens qui sont dans le besoin. Nous étions donc une douzaine qui logions entre ces vieux murs pour nous lancer dans les travaux. La plupart des membres du groupe étaient des jeunes déshérités. Nous n'étions pas des spécialistes, non, mais malgré tout, en y mettant tous du nôtre, nous étions capables de faire les choses presque comme il faut. La chapelle et cette maison peuvent étayer ce que je dis. Elles étaient aussi délabrées que le reste, et voyez le résultat… N'y sommes-nous pas au chaud ?

— Certainement, mon père, approuva Lorri, pressé d'entendre la suite. Et?

— Et... Où en étais-je? Ah oui! J'ai également profité de notre présence ici, dans cette ancienne tourbière, pour initier mes protégés à l'écologie. Vous savez, quand Dieu a mis la Terre à notre disposition, c'était un véritable paradis. Hélas! les hommes passent leur temps à la détruire... Durant plusieurs décennies, on s'est mis à extraire la tourbe de façon industrielle. Les effets néfastes de cette pratique n'ont pas tardé à se faire sentir. La flore et la faune se sont considérablement appauvris par la disparition de leurs biotopes. Heureusement, depuis quelque temps, sous la pression de la législation européenne, certains procédés ont été bannis. Les gens se rendent enfin compte qu'ils sont en train de scier la branche sur laquelle ils sont assis. Des mesures ont été prises pour tenter de restaurer les biotopes des tourbières et des landes à bruyère. Ainsi, le gouvernement irlandais attribue quelques subventions à ma petite communauté. En échange, nous effectuons des relevés de terrains et nous notons les changements bénéfiques qui s'y opèrent à la suite de ces mesures. Nous nous intéressons particulièrement à certains oiseaux, comme le lagopède des saules…

— Chez nous, on appelle ça des perdrix blanches, coupa Keewat. Nous en avons aperçu en chemin.

— Oh ! Voilà qui est encourageant, poursuivit le père Andrew. Mais je continue mon récit. Il y a quelques années, dans la carrière d'extraction qui se trouve à proximité, les ouvriers ont fait une étrange découverte. Le gisement de tourbe était quasiment épuisé et ils attaquaient les dernières couches. Ils ont mis au jour une douzaine de corps momifiés de petite taille. La tourbe a ceci de particulier : elle conserve les corps. Le chantier s'est arrêté en attendant la venue d'un spécialiste. Le lendemain, il s'était passé une chose inexplicable : les momies avaient disparu. Après bien des tentatives pour expliquer le phénomène, les gens ont conclu que les momies s'étaient désagrégées à l'air libre. Elles se seraient dissoutes… Quelque temps plus tard, l'exploitation de la carrière a cessé. Les bâtiments ont été abandonnés, ainsi que le village où nous nous trouvons en ce moment. Et je suis arrivé avec ma petite communauté. Les premiers mois, les choses se passaient agréablement. Mais des événements bizarres n'ont pas tardé à se produire. Régulièrement, nous retrouvions des brebis égorgées, vidées de leur sang. Nous avons d'abord cru que des chiens sauvages rôdaient dans les parages, mais cette hypothèse ne se tenait pas, car les bêtes étaient exsangues. Plutôt troublant... Le massacre se poursuivant à intervalles réguliers, nous avons conclu que notre présence à Blackforge en agaçait certains, et qu'ils cherchaient à nous faire peur. Il faut dire que la chasse avait été sévèrement réglementée pour permettre aux écosystèmes de se rétablir. En général, les chasseurs n'aiment pas beaucoup les écologistes. Nous avons donc pensé que des individus, brimés par les restrictions, s'étaient mis à nous harceler. J'aurais dû alerter les autorités, je sais... Seulement, je craignais que l'administration nous demande de partir. Nous avons donc tenté de régler l'affaire nous-mêmes. Nous nous sommes embusqués, une nuit, à proximité de l'endroit où paissaient nos dernières brebis. Et nous les avons vus : des êtres difformes, de la taille d'enfants, bizarrement accoutrés, qui se ruaient sur les animaux et les mordaient au cou. Ces monstres passèrent de longues minutes à se repaître du sang des pauvres

bêtes, avec d'écœurants bruits de succion. Nous avons alors entendu une cavalcade qui passait un peu plus loin. Les gnomes ont levé la tête, puis, comme s'ils répondaient à un appel muet, ils ont disparu brusquement. Nous les avons aperçus un peu plus tard à l'horizon, trottant autour de trois cavaliers dissimulés sous de grandes capes sombres. La panique nous submergea. Nous avions bel et bien reconnu les personnages de la légende de la Forge Noire. Mes compagnons se sont mis à fuir dans toutes les directions. Je priais le Seigneur pour qu'aucun d'entre eux ne tombe sous la dent de ces monstres. Quelques jeunes sont revenus à Blackforge au petit matin. Je les encourageais à rester, mais la peur fut la plus forte. Ils quittèrent le village à jamais. Je vis désormais seul avec Little John. Les gnomes de la lande sont ceux de la légende, croyez-moi. La nuit venue, ils errent, envoyés par leurs maîtres, à la recherche des promeneurs égarés pour les attirer à la Forge Noire. Avec le recul, j'ai maintenant la conviction que tout cela est lié à la découverte des momies... Et après ce que vous m'avez confié, je crains que Dagmar, Danoal et Tugal ne fassent qu'un avec vos Immondes. Dieu merci, vous êtes à l'abri, derrière ces murs.

— Nous avons nous aussi trouvé des brebis mortes, affirma Aude. Dites, ces… gnomes, ils ne sont jamais venus jusqu'ici ?

— Jamais, non. J'ignore pour quelle raison.

— A-t-on signalé des disparitions dans la région, à part celles de vos anciens protégés ? demanda à son tour Lorri.

— Pas à ma connaissance. Mais nous vivons en reclus. Deux fois par mois, Scot passe par ici pour nous ravitailler, avec sa vieille camionnette, mais il ne m'a rien dit. Quant aux nouvelles à la radio, je ne les écoute pas. Nous n'avons pas la télé non plus.

— Vous n'avez pas mis Scot au courant de ce que vous avez vu sur la lande ?

— Oh ! Vous savez, les gens ont vite fait de vous prendre pour un fou. De ce côté-là, ma réputation est déjà faite. Je n'ai pas voulu en rajouter. Et puis, Scot nous est utile. Il nous rapporte ce dont nous manquons. Les gens sont plutôt superstitieux, par ici. J'ai donc préféré me taire.

Keewat observa Laurent. L'anxiété pouvait se lire sur son visage.

— Le mieux est d'attendre à demain avant de faire quoi que ce soit, conseilla l'Amérindien. Dès le lever du jour, nous irons au château, comme prévu.

— Tu as raison, murmura Lorri, malgré son envie de foncer là-bas immédiatement.

— Vous allez passer la nuit ici, proposa le père Andrew. Little John va vous montrer les chambres. Ne vous attendez pas au grand luxe. Vous me paraissez bien sympathiques, tous les trois. Je vais aller à la chapelle prier pour vos amis. Avant de nous coucher, nous boirons encore un petit peu de ce… vin de messe. Vous en profiterez pour me raconter ce que vous faites de vos vies. À tout à l'heure.

— Je vais avec Little John, lança Aude que l'enfant tirait par la main. Je m'occupe des lits.

— Je crois savoir pourquoi ils ont été attirés au castel, reprit Lorri en faisant un signe affectueux à Little John.

— Tu veux parler de Cynthia, Tom, Melaine et Nancy ?

— Oui. Ils sont les seuls d'entre nous à avoir été envoûtés à l'intérieur du sanctuaire. Les Immondes ont retrouvé leur piste grâce à cela, j'en suis certain. Comment ? Je ne saurais le dire. Ce qui est sûr, c'est que la réponse se trouve à la Forge Noire.

Le père Andrew était agenouillé à la première rangée, près du chœur. Il entendit la porte grincer. Il se retourna, et aperçut Lorri, qui hésitait. Il lui fit signe d'approcher.

— Je ne voulais pas vous déranger, mon père, s'excusa Laurent.

— Assieds-toi, mon garçon. La chapelle est bien assez grande pour nous deux. Et comme tu vois, il n'y a pas foule. Tu as besoin de te recueillir ?

— Heu... Pas vraiment. J'ai laissé Aude et Keewat seuls. Ils ont rarement l'occasion d'être ensemble. Keewat et moi vivons au Québec. Depuis notre arrivée en France, nous n'avons pas même eu le temps de poser nos bagages. Aude et Keewat sont assez liés l'un à l'autre, vous savez...

— Aussi liés que tu peux l'être avec ta petite amie, n'est-ce pas ? Comment s'appelle-t-elle, déjà ?

— Cynthia. Elle vit à Paris. Nous avions tous fait le projet de nous retrouver à Londres. Malheureusement, elle manquait à l'appel, ainsi que nos autres amis.

Laurent raconta brièvement comment ils avaient été mis sur la piste de Blackforge.

— Un stage pour étudier les lagopèdes, dis-tu ? Comme c'est curieux… C'est justement une partie du travail que nous effectuons ici. Mais je te le répète : au château, il n'y a ni musée ni gens qui s'intéressent à ces oiseaux.

— Je suis certain que la disparition de nos amis est liée à l'épreuve qu'ils ont subie dans le sanctuaire des Immondes, poursuivit Lorri. Ces monstres ne les ont pas lâchés ! Que va-t-il leur arriver ? Je dois me rendre au castel. Il le faut !

— Pas cette nuit, mon garçon, ce serait trop dangereux. En attendant, si tu veux prier… Mais peut-être ne crois-tu pas en Dieu…

— Je… je ne sais pas. Je sais que pour certains tout ce qui existe n'est dû qu'au hasard, qu'il n'y a rien d'autre. Et en effet, lorsque je pense à toute la misère qui pèse sur le monde, sauf votre respect, je peux comprendre que l'on ait du mal à croire à un Être suprême capable de veiller sur nous. D'un autre côté, si on plonge le nez dans la physique, ou si on lève les yeux vers les étoiles, on se rend vite compte du surprenant agencement des choses. Le dernier livre que j'ai lu traitait de cosmologie, la science qui étudie l'Univers dans son ensemble. Eh bien, ce livre contenait des révélations étonnantes. Le texte était un peu compliqué et certains détails m'ont sans doute échappé, mais selon l'auteur, un des plus grands spécialistes de la question, il existe des coïncidences étranges entre l'infiniment petit et l'infiniment grand, entre l'atome et l'immensité de l'espace. Comme un rébus qui serait à déchiffrer, une sorte de message caché… Le réglage des paramètres physiques de la nature est si fin qu'il ne semble pas dû au hasard. Pourquoi ? Les plus athées affirmeront au contraire qu'il ne peut s'agir là que de hasard. Que les choses sont ainsi parce qu'elles ne peuvent pas être autrement. Selon moi, ils éludent la question.

— Donc, tu pressens l'existence de quelque chose au-dessus de tout ?

— Je ne peux pas répondre à cela, mon père. Pas aujourd'hui. Ma quête spirituelle s'arrête là pour l'instant. Une chose est certaine, cependant : lors de notre dernière aventure, j'ai eu l'impression d'avoir rencontré Satan en personne. Et si Satan existe… Enfin, ce dont je suis sûr, c'est qu'au cours de notre

vie il se passe des choses que nous trouvons justes, ou bonnes ; d'autres, profondément injustes, ou mauvaises. Ces choses sont-elles régies par quelqu'un qui serait bon ou mauvais ? Une entité supérieure, capable d'influer sur notre destinée ? Keewat me répète souvent que derrière le monde visible se dissimule un autre monde, celui des esprits. Tout cela n'est-il que superstition ?

— Le Mal existe, mon garçon. N'y as-tu pas fait face, avec tes amis, comme tu viens de le dire? Seul le Bien est capable de s'opposer à lui, et de le vaincre. Il y a, en chacun de nous, des parcelles de ces deux forces. Elles se combattent au cours de notre vie, au gré de notre volonté. Car c'est nous qui décidons d'agir selon l'une ou l'autre de ces forces. Parfois, soumis à certaines influences, nous faisons le mauvais choix. Lorsque la mort nous surprend, à la fin de notre vie, arrive l'heure du bilan.

— La mort ? D'après Anselme Séverin, ce combat a l'air de se poursuivre bien après ! Vous parlez d'un repos éternel !

— Oui, la mort n'est qu'un passage, mon garçon, conclut le vieil homme en souriant. Quant aux voies du Seigneur, elles sont souvent impénétrables… La fatigue commence

à me peser. Tu peux rester encore un peu, si tu veux… Je te laisse.

Lorri entendit le bruit des pas de l'ecclésiastique décroître, puis le claquement de la porte qui se refermait. Il était seul.

— Tout ça ne me dit pas ce qui est arrivé à Cynthia ! maugréa-t-il.

— Non, bien sûr, fit une voix dans son dos.

Laurent se retourna brusquement. Ses yeux s'arrondirent de peur. Il sursauta sur sa chaise, perdit l'équilibre et s'affala lourdement au sol. Sa chute déclencha un vacarme d'enfer en entraînant le mobilier.

— An… Anselme Séverin ! lâcha-t-il, tout tremblant. C'est… c'est vous ?

— Oui, voyons ! Inutile de bondir comme si tu avais des ressorts aux pieds !

— Vous m'avez fait une de ces peurs !

— J'ai assisté à ta petite discussion avec le père Andrew. C'était plutôt intéressant.

— Que… que faites-vous ici, monsieur le curé ?

— Vous avez besoin de moi, non ? Je vous ai entendu citer mon nom à plusieurs reprises.

— Alors, vous entendez… tout ce que l'on dit ? Partout ?

— Non, rassure-toi. Pas tout, ni partout… À vrai dire, ce sont plutôt tes amis, là-bas, qui ont besoin d'un sérieux coup de main.

— Au château, hein ? Vite ! Dites-moi ce que je dois faire. Le temps presse, n'est-ce pas ?

— Le temps ? Voilà une notion bien étrange. Tout comme celle de l'espace, d'ailleurs. Tu apprendras que les choses ne sont pas toujours ce qu'elles paraissent être. En attendant, voici un miroir. Ne le brise surtout pas. Je te dis à demain. Rendez-vous à Blackforge !

Laurent se frotta les yeux et se redressa. Avait-il rêvé ? Il aperçut le miroir sur un siège, là où l'avait posé Anselme Séverin. Il saisit délicatement son manche au dessin tarabiscoté. Le mystérieux objet devait être en argent et mesurer une vingtaine de centimètres. Il était orné de personnages étranges : des vieillards barbus, des jeunes femmes voilées, des monstres ailés. Le reflet qui apparut lorsque Lorri s'y mira lui rendit aussi sec ses grimaces. Un miroir banal, somme toute. Sauf que c'est un fantôme qui venait de le lui offrir. Et ça, c'était tout sauf banal !

# 13

# L'entrée de l'enfer

Lorri avait avalé d'un trait son verre de whisky, sous le regard dubitatif de ses compagnons. Il se mit à tousser, et, le visage congestionné par l'âpreté de l'alcool, tenta d'expliquer :

— Il était là ! Anselme Séverin ! Dans la chapelle ! Comme je vous vois !

— Quoi ? Et où as-tu pris ça ? demanda Keewat en désignant le miroir.

— Il me l'a donné. Et ce n'est sûrement pas pour jouer à la coquette !

Aude se saisit de l'objet et commença à l'étudier de près. Elle réalisa tout à coup que ce qu'elle manipulait appartenait à un fantôme. Elle le reposa rapidement.

— Ce truc me fait un peu peur, avoua-t-elle, surtout les gravures. Elles doivent avoir

une signification… Mais je ne vois pas l'utilité possible de ce miroir, si ce n'est de se regarder dedans… Qu'est-ce qu'il t'a dit ?

— Il m'a donné rendez-vous, demain, à Blackforge. Il m'a aussi laissé entendre que je devais me méfier des apparences.

— Quelles apparences ? demanda à son tour le père Andrew.

Laurent appréciait la confiance que lui témoignait le vieil homme. Il venait d'avouer qu'il avait discuté avec un fantôme, et l'ecclésiastique ne semblait nullement s'en étonner. Mais après tout, le père Andrew ne croyait-il pas lui-même au retour des Maîtres de la Forge Noire et des gnomes ?

— Je ne sais pas, répondit-il. Je suppose que tout cela sera plus clair demain, lorsque nous serons au château.

— S'il nous vient en aide, dit le Tchippewayan, ça veut dire que les choses vont se corser. *Nâhdudhi !* Mauvais ! Il fallait s'y attendre. Les Immondes sont bien de retour, je l'avais pressenti.

— Vous pouvez les appeler Dagmar, Danoal et Tugal, déclara avec conviction le père Andrew. Mon Dieu ! Je prierai pour vous, mes enfants.

Ils dormirent quelques heures. Ce fut plus aisé pour Aude et Keewat que pour Lorri, seul dans sa chambre, et profondément tourmenté par le sort de Cynthia. À plusieurs reprises, il avait allumé la lumière et contemplé le miroir. Le tain n'avait fait que refléter le décor spartiate de la pièce. Anselme Séverin était décidément un visiteur des plus énigmatiques. *Comment pourrait-il en être autrement?* pensa Laurent. *C'est un fantôme. Comme ceux qui nous attendent à l'intérieur de cette Forge Noire.*

Au petit matin, à moitié endormi, il réveilla ses compagnons, puis ce fut au tour du père Andrew d'apparaître dans la salle à manger. Il était hors de question que leur hôte les laisse partir le ventre creux. Tous aidèrent le vieil homme à préparer le déjeuner. Lorri voulut le dédommager par quelques euros, mais le prêtre refusa obstinément. Les jeunes voyageurs mangèrent sans appétit. Avant leur départ, le père Andrew plaça une grosse torche électrique dans les mains de Lorri et un solide bâton dans celles de Keewat.

— Ce n'est peut-être pas grand-chose face aux dangers que vous allez affronter.

Pourtant, c'est avec un bâton comme celui-ci que Moïse sépara les eaux de la mer Rouge. Une légende de plus, me direz-vous ! Mais elles ont toutes un fond de vérité, n'est-ce pas ? Que Dieu vous garde !

— Merci de l'accueil, dit Lorri. Vous remercierez également Little John.

Laissant le père Andrew sur le seuil, ils se lancèrent sur le chemin emprunté à l'aller. Le but était de rejoindre le saule tourmenté et de dénicher le sentier qui menait au castel. Ce sentier, ils ne l'avaient pas vu la veille. Lorri se remémora l'hésitation de Keewat. Avait-il pressenti, sans le savoir, qu'il existait un passage caché derrière les branchages, à quelques mètres d'eux ? Chose certaine, cette fois-ci, ils prendraient le soin de fouiller complètement les fourrés.

Le ciel était aussi plombé que la veille. Il ne s'était pas remis à pleuvoir, mais les lourds nuages qui s'amoncelaient ne présageaient rien de bon. Ces nuages étaient d'un bleu sombre, presque noir, faisant ressortir le bois clair des bouleaux qui, çà et là, parsemaient la lande, la rendant vaguement irréelle. *Un décor de légende*, songea Lorri. *Décidément, on n'en sort pas !* Avec leurs silhouettes drapées dans leurs manteaux, leurs hautes tailles,

leurs larges épaules et leurs cheveux volant au vent, Lorri et Keewat accentuaient encore le côté fantasmagorique de la scène. Mais il y avait Aude, et la jeune femme amenait une touche de grâce à ce trio marchant d'un pas guerrier. Car c'était un peu ce qu'ils envisageaient de faire : la guerre. Lorri était prêt à tout pour délivrer Cynthia des griffes de leurs ennemis, ainsi que ses autres amis. Il ignorait comment il allait s'y prendre, mais depuis hier, il savait qu'il obtiendrait l'appui d'Anselme Séverin. C'était pourquoi il gardait la main fermement serrée sur le mystérieux miroir, de peur qu'il ne se brise accidentellement.

Le chemin se mit à grimper, puis ils retrouvèrent le sous-bois. Quelque chose clochait. Le saule tourmenté était bien là où ils l'avaient vu la première fois, mais maintenant, le bras de la sculpture de bois désignait une direction inverse à celle qu'ils avaient suivie, la veille.

— Il se moque de nous ! gronda Keewat. Donnez-moi une tronçonneuse que je lui rectifie le portrait ! Ou alors, c'est nous qui devenons complètement fous !

— Rappelle-toi ce qu'a raconté le père Andrew à son sujet, dit Lorri. Si c'est vraiment

un pauvre bougre qui est emprisonné là-dedans depuis des siècles, il mérite notre compassion. Tu te vois couper les membres d'un innocent paysan ?

— Pas si innocent que ça, protesta le Tchippewayan. Il nous a bien induits en erreur, non ?

— Qui sait ? intervint Aude en s'approchant prudemment. Il est peut-être obligé de faire ce qu'il fait. Une espèce de damnation…

Un brusque coup de vent agita les branches du saule. L'une d'entre elles vint se planter dans la chevelure de la jeune femme, qui se mit à hurler :

— Ahhhh ! Il me tire les cheveux ! Détachez-moi de là, vite !

— Un innocent paysan, hein ? railla Keewat en se précipitant au secours de sa petite amie.

Lorri n'en croyait pas ses yeux. Les lèvres de la sculpture, dessinées dans un repli du bois, affichaient maintenant un rictus sauvage. *Les choses ne sont pas toujours ce qu'elles semblent être*. Les paroles d'Anselme Séverin sonnaient dans son esprit comme un gong. Il sortit le miroir de sa poche, l'orienta de manière à y visualiser Aude, Keewat et l'arbre, et regarda. Stupeur ! À la place du saule, il y

avait un être de chair et de sang qui se contorsionnait.

— Visez-moi ça ! dit-il à ses amis, qui avaient réussi à reculer.

Aude et Keewat portèrent les yeux sur le miroir, puis directement sur le saule. La scène n'était pas la même.

— Le chemin, là ! lança le Tchippewayan. Il n'existe pas en dehors du reflet !

— C'est insensé ! ajouta la jeune Auvergnate.

— Il existe, mais nous ne pouvons le voir, conclut Laurent en se rapprochant de l'arbre où le vent – mais était-ce bien le vent ? – continuait à mugir dans les branches.

Dans le miroir, c'était un paysan qui se débattait. Et qui hurlait ?

Lorri s'arrêta à un mètre du saule humain qui pouvait désormais, lui aussi, voir son propre reflet. Une chose encore plus étrange eut lieu. On entendit un cri, poussé comme un soulagement. Puis, soudain, le reflet du saule se modifia. Ce reflet devint ce qu'il n'aurait jamais dû cesser d'être : celui d'un simple saule. Le vent tomba, les branches s'immobilisèrent, le visage humain s'effaça.

— Fiente d'ours ! jura l'Amérindien après quelques secondes. Je crois qu'il est mort.

— Non, délivré, rectifia Lorri. C'est son propre reflet qui l'a libéré du mauvais sort.

— Ce bois ne contient plus de sève, constata Aude en saisissant une branche et en la cassant d'un coup sec.

— Et voici le chemin qui mène au castel de Blackforge, reprit Laurent. Il est visible même sans le miroir ! Ne perdons pas une minute de plus. Vite !

⮳

Ils marchaient depuis plusieurs heures. Le chemin avait longuement serpenté au milieu des bois, des clairières, des tourbières et de vastes zones qui ne ressemblaient plus à rien, là où, jadis, les hommes les avaient exploitées et meurtries. Ils étaient passés entre deux blocs de granit, puis avaient découvert une vallée. Un torrent coulait en contrebas, dans un lit de pierres, jusqu'à l'orée d'une nouvelle forêt. Au-dessus des arbres, ils apercevaient le haut d'une ruine qui, en tenant compte de la distance, semblait gigantesque.

— Le castel de Blackforge, murmura Lorri. Le voilà enfin…

Keewat regarda autour de lui, soupçonneux. Il avait l'étrange impression d'être observé.

— *Nâhdudhi, nâhdudhi,* répéta-t-il, avant de se décider à suivre ses compagnons.

Ils traversèrent la forêt, puis débouchèrent au pied d'un tertre rocheux. Le château étalait sa masse monumentale devant eux. Les murs d'enceinte avaient subi les affres du temps. Ils s'écroulaient à de nombreux endroits, tout comme les tours d'angle, dont les charpentes s'étaient volatilisées au cours des siècles. Ils escaladèrent le tertre, puis s'arrêtèrent. La vue portait loin dans la campagne sauvage. Ce paysage ne devait pas manquer d'attrait à la belle saison, mais sous la pluie qui coulait à nouveau du ciel gris et arrosait les arbres dénudés, il paraissait lugubre.

Ils atteignirent le pont-levis qui était rabattu. Ses planches, quelque peu vermoulues, laissaient entrevoir l'eau glauque du fossé.

— Je n'aimerais pas tomber là-dedans, lança Laurent en faisant attention où il posait les pieds.

— Drôle d'endroit pour aménager un musée, tu avais raison, dit Aude en glissant sa main dans celle de Keewat.

— Surtout qu'il n'existe pas, ce musée, répondit le Tchippewayan. Comment ont-elles pu se laisser entraîner dans une histoire pareille ?

— Cynthia nous fournira les explications, dit avec force le jeune Québécois. Du moins, je l'espère, ajouta-t-il d'une voix où perçait une pointe d'angoisse.

Ils passèrent sous le porche, jetèrent un coup d'œil discret aux escaliers en partie éboulés s'ouvrant de chaque côté, puis débouchèrent dans la cour. La construction aux fenêtres vides qui se dressait en face d'eux avait dû servir autrefois de logis. On y accédait par un perron aux marches brisées. Cette habitation était directement adossée au donjon, qui était ouvert aux intempéries, et dont il manquait un tiers de l'élévation.

— Bon ! fit Lorri, que cette montagne de pierre n'inspirait guère. Et maintenant ?

— Tu ne crois pas qu'il serait préférable d'attendre une manifestation d'Anselme Séverin ? suggéra Aude.

— La Forge Noire, reprit le Québécois après un instant de réflexion, c'est elle qu'il faut dénicher. Nous allons entrer dans cette bâtisse et commencer les recherches.

Keewat huma l'air, comme il le faisait souvent lorsqu'il devait prendre une décision importante, puis chuchota, sur le ton de la fatalité :

— L'entrée de l'enfer…

# 14

# Épreuves

L'escalier s'enfonçait dans les ténèbres, ce qui obligea Cynthia à écarquiller les yeux pour tenter d'y voir un peu mieux. Elle descendit une première marche en tâtonnant du pied, une deuxième et, enfin, risqua le tout pour le tout. Elle remarqua, avec soulagement, qu'une luminosité rougeâtre prenait rapidement le dessus sur l'obscurité. L'atmosphère se mit également à changer. Il faisait plus chaud.

Depuis que la jeune femme avait franchi le seuil de la porte à la rosace, l'image de Lorri s'était imposée cent fois dans son esprit. La situation restait incompréhensible. Que faisait-il ici ? Que voulait dire cette scène inconcevable à laquelle elle avait assisté ? Avait-elle imaginé cette scène ? Les éclats de

rire qui montaient jusqu'à elle, à intervalles réguliers, démentaient cette hypothèse. Non, elle n'avait pas rêvé. Lorri et Melaine minaudaient quelques mètres plus bas, comme deux amants dominés par la passion. Étaient-ils les instigateurs de ce rendez-vous de mauvais goût ? C'était impossible. Tout cela n'avait pas de sens ! Ou alors... Les Immondes ! C'était ça. Ils avaient attiré Lorri entre ces murs, tout comme elle, et il était tombé dans le piège. Dieu seul sait ce qu'ils lui avaient fait subir ! Mais... comment expliquer cette relation soudaine avec Melaine ? Que s'était-il réellement passé dans le reste du castel lorsqu'elle s'était retrouvée prisonnière, dans sa chambre ? C'était sûrement à ce moment-là qu'ils s'étaient rencontrés, tous les deux... Ils seraient tombés dans les bras l'un de l'autre, comme ça, sans autre préambule ? *Ça n'a pas de sens, voyons...* À moins que... Lorri avait-il revu Melaine après leur rencontre en France ? Avait-il entretenu une liaison secrète avec elle ? *Rappelle-toi, Cynthia, la manière dont ils se sont regardés lorsqu'ils se sont quittés, à Belle-Île...* Elle s'arrêta, haletante, le cœur serré dans un étau, en se prenant la tête dans les mains.

— Lorri ! hurla-t-elle.

— Maman ? Maman, c'est toi ? Où cours-tu, comme ça ?

Melaine était descendue de quelques marches, avant de s'arrêter, hésitante. Elle n'y voyait pratiquement rien.

— Dépêche-toi, tu vas être en retard, comme d'habitude ! Tu n'obéiras donc jamais ?

Cette voix était montée des profondeurs. Un ton plein de hargne et de suffisance… Oui, c'était bien sa mère qui venait une fois de plus de l'apostropher, Sa Seigneurie Madame Marie-Ange Granger ! Melaine fit un effort pour se ressaisir et avala sa salive.

— En retard où, maman ? demanda-t-elle.

Elle se remit à descendre l'escalier, lentement, puis de plus en plus vite, au fur et à mesure qu'une clarté, venue du bas, dissipait les ténèbres. Il faisait presque chaud, maintenant.

Le doute s'installa à nouveau dans son esprit. Elle s'arrêta net. Comment sa mère pouvait-elle être ici ? Que faisait-elle sur cet escalier ? Pour la troisième fois, une voix autoritaire retentit :

— Melaine ! Je t'attends, tu sais !

La jeune femme souffla et martela le mur avec rage.

— Qu'est-ce que tu as encore à me reprocher, maman ? J'en ai vraiment marre ! Dis-moi au moins ce que tu fiches ici !

Melaine attendit des explications qui ne vinrent pas. Elle pesta une nouvelle fois avant de reprendre sa course folle.

⮯

Nancy attendait une réponse. Elle s'était arrêtée en haut de la première marche. Comment Lorri et Keewat avaient-ils pu dévaler l'escalier aussi vite sans se rompre le cou ? On n'y voyait rien ! Elle cria leurs noms une troisième fois.

— Ça se passe en bas, Nancy ! On dirait bien que tu manques d'exercice… Tu vas arriver la dernière…

Le ton était celui de la moquerie. Une gentille moquerie, peut-être, mais une moquerie quand même. Juste de quoi l'agacer.

— Si vous me disiez où vous courez ? Où sont Melaine, Cynthia et Tom ?

— Nous sommes ensemble, Nancy ! Ils ont réussi à nous rejoindre, eux !

Elle se débarrassa de son manteau en maugréant. Il faisait chaud, tout à coup. Était-ce une impression ou il faisait également moins sombre ? Les pierres des murs réverbéraient une étrange lumière rouge.

— Ils me prennent sans doute pour une petite grosse ? Eh bien, je vais leur montrer de quoi je suis capable ! siffla-t-elle entre ses dents serrées.

⮷

Tom avançait, un bras tendu vers le haut, un autre rasant le mur. Jusqu'ici, sa main n'avait pas rencontré d'obstacle, mais il ne tenait pas à se fracasser le crâne par inadvertance sur l'arête d'une pierre. Lorsqu'on dépassait les deux mètres, mieux valait prendre certaines précautions.

Pour lui, cela ne faisait aucun doute, les filles étaient descendues par là. Par quel tour de passe-passe Cynthia, Melaine et Nancy s'étaient évaporées de leurs chambres en si peu de temps, cela restait un mystère. Un mystère qu'il ne cherchait pas à résoudre. Bien des choses étranges étaient arrivées depuis qu'ils s'étaient retrouvés tous les quatre au castel de Blackforge. Avec les Immondes à la clé, il fallait s'attendre à tout. Ce dont il était certain, c'était que la porte à la rosace était hermétiquement close lorsqu'ils avaient inspecté l'étage ensemble. Quelqu'un l'avait ouverte depuis. Dans quel autre but, sinon d'attiser la curiosité ? Le plus bizarre, c'était que les filles ne l'avaient pas prévenu. Elles n'en avaient peut-être pas eu la possibilité... Très peu de temps s'était écoulé entre le moment où il les avait vues la dernière fois, avant qu'elles ne pénètrent dans leurs chambres pour y récupérer leurs affaires, et le moment où il était lui-même sorti de la sienne. Durant ce court laps de temps, quelque chose s'était passé. Quelque chose d'irrationnel ? Probablement. Dans un château où les cheminées s'allumaient toutes seules, où les tables se dressaient par l'opération du Saint-Esprit, et où elles se desservaient d'aussi étrange façon, tout devenait possible.

Maintenant, il y voyait. Du moins, assez pour ne plus risquer de s'assommer. Il descendit une cinquantaine de marches avant de s'arrêter, les sens aux aguets. À intervalles réguliers, le bruit d'une respiration lui parvenait. Oui, c'était cela. Une intense respiration. Et la chaleur ne cessait d'augmenter. Où cet escalier pouvait-il bien mener ?

Tom Ndzouri se remémora l'architecture du château. Une conclusion s'imposa : il ne pouvait être qu'à l'intérieur du donjon, et cet escalier débouchait au bas de la tour. En évaluant la hauteur des marches, il déduisit qu'il ne devait plus tarder à atteindre le rez-de-chaussée.

Un nouveau quart d'heure passa. Privé de repère, sa montre refusant obstinément de fonctionner, il avait du mal à évaluer la situation. *Je descends aux caves,* jugea-t-il. Il n'avait qu'une hâte : voir le bout de cet interminable escalier. Il avait ôté son blouson depuis longtemps, déjà, ce qui n'empêchait pas la sueur de perler à son front. Il faisait de plus en plus chaud. Le long de la paroi se répercutait ce sempiternel bruit de soufflet. Un soufflet ! Mais oui ! C'était cela ! Une forge… Cet escalier menait à une forge. À la Forge Noire. Et cette lumière était tout bonnement issue du foyer. *Elle doit être de taille,* songea le colosse. *Elle irradie tellement… C'est à se demander ce que l'on peut bien y forger…*

Sans qu'il s'y attende, il franchit la dernière marche de l'escalier. Il avait le choix : prendre à gauche et, visiblement, descendre plus profond encore, ou prendre à droite, où

pointait la lumière du jour. Mais comment était-ce possible, alors que dehors il devait encore faire nuit ? Cette anomalie l'intrigua. Il hésita, puis, en arquant le dos, se glissa dans le passage voûté qui s'ouvrait à droite. Le souterrain ne mesurait pas plus de dix mètres. Lorsqu'il fut à l'extérieur, il sut qu'un nouveau prodige s'était produit.

Contre toute logique, il faisait jour. Un jour nébuleux, envahi par la brume. Le paysage était celui d'une forêt équatoriale aux arbres gigantesques, sous lesquels poussait une végétation luxuriante. D'énormes *ficus benjamina* mêlaient leurs racines aériennes aux orchidées. Les grandes feuilles veinées des alocasias, semblables à des oreilles d'éléphants, recouvraient des massifs entiers de crotons. L'air, étouffant, sentait l'humus. Tom identifia sans peine d'autres odeurs, comme celle des eucharis. Par endroits, le sol en était tapissé. Jamais une forêt équatoriale ressemblant à celles de son pays natal n'avait été répertoriée au Connemara. Où était-il ? Dans une serre logée dans les entrailles du castel ? Ses dimensions devaient être de taille ! Si tel était le cas, pour en avoir la preuve, il ne voyait qu'une solution : marcher vers une des parois.

Tom avança au milieu de la végétation. Il progressa ainsi sur une centaine de mètres, en notant que la forêt était anormalement silencieuse. *Il manque le son,* pensa le colosse. Il atteignit un baraquement, fait de planches et de tôles grossièrement assemblées, sous lequel des bidons et des sacs étaient entassés.

— Des vivres ! constata le géant.

Plusieurs de ces contenants étaient éventrés, laissant échapper leur marchandise. Il y avait là farine, riz, sucre, huile et eau. Avait-il découvert le garde-manger du château ? Et en plein milieu d'une serre, à une température de trente-cinq degrés ? C'était à ne rien y comprendre.

Tom écouta. Quelque part, des gens souffraient. Il entendait des voix qui se plaignaient. Il sortit, marcha encore sur cinquante mètres, et découvrit une scène insolite. La forêt avait pris fin. Il se trouvait devant une passerelle suspendue au-dessus d'une profonde cavité. De l'autre côté, de pauvres diables décharnés : des hommes, des femmes, mais surtout des enfants, tendaient les mains vers lui et le suppliaient.

— Ils meurent de faim ! Je n'en crois pas mes yeux ! Ces pauvres gens meurent de faim ! Mais où suis-je donc ?

Tom jeta un regard au fond de la tranchée. Il sentit les poils de sa peau se hérisser. Il n'y avait pas prêté attention de prime abord, mais maintenant, il mesurait l'horreur de la situation. Le fossé, par-dessus lequel courait la passerelle, était garni de gigantesques plantes carnivores, des népenthès géants. Des plantes de dimensions telles qu'elles étaient capables d'engloutir un corps humain. Leurs urnes, largement ouvertes, n'attendaient qu'une chose : qu'une malheureuse victime y soit précipitée.

*Ce que je vois ne peut pas exister,* songea encore le colosse. Il n'était pas botaniste, mais il savait pertinemment que ce genre de végétaux n'atteignait jamais une telle taille. Il en avait vu une multitude au Kenya et à Madagascar. *Aurais-je découvert un centre d'expérimentations génétiques ?*

Il leva la tête. En face, les souffreteux continuaient à l'interpeller. Il remarqua qu'ils avaient tous la peau noire. Tom sentit monter en lui une profonde amertume, une douleur indéfinissable qui, petit à petit, lui noua la gorge. *Ces gens sont de ton pays, Tom. Tu les as abandonnés. Tu as choisi la fuite face à la souffrance. Te rappelles-tu la dernière sécheresse ? Combien de gens sont morts dans la*

*misère ? Tu pouvais faire quelque chose pour eux, Tom. Mais tu as préféré prendre le large...*

Le géant recula de plusieurs pas en se tenant le front. Cette voix, qui résonnait dans son cerveau, était-ce celle du remords ?...

Oui ! C'est vrai, il avait fui. Ce voyage, qu'il faisait sur la planète, était un moyen d'échapper aux maux continuels qui sévissent en Afrique : la faim, la soif, la maladie, la corruption... Un continent entier qui part à la dérive. C'est à tout ce quotidien de misère qu'il avait voulu se soustraire. Mais cette fuite n'était que temporaire, bon sang ! Après avoir réalisé son rêve, il retournerait au pays et se mettrait à la disposition de ses frères...

*Tu avais le choix, Tom. Te rappelles-tu ces gens qui étaient venus quémander ton aide ? Ils voulaient que tu mettes tes talents de pilote au service de leur cause. Tu as refusé...*

— Je n'ai pas refusé ! hurla le colosse avec rage. Mais qui êtes-vous donc, pour me faire ce reproche ? Ce voyage, j'en ai toujours rêvé...

Sa voix s'était brisée. Colère ou désespoir ? Un peu des deux, sans doute. Oui, il se rappelait cette rencontre. Une association caritative avait voulu l'enrôler pour porter assistance à des tribus proches de la frontière éthiopienne. On y mourait de privations. Et il était parti... Vers le nord... Vers l'Europe, pour réaliser son projet de toujours. Rien ne l'obligeait à se priver de ce projet. Il mit ses mains en porte-voix vers les miséreux et cria en swahili :

— Que faites-vous là ? Où sommes-nous, ici ?

On ne lui répondit pas.

Tom Ndzouri retourna vers l'entrepôt, jeta son blouson dans un coin, hissa un sac de farine et un autre de sucre sur son épaule, puis marcha vers la passerelle suspendue. Le fossé semblait ceindre la forêt, c'était donc l'unique moyen de porter secours aux nécessiteux. Derrière cette assemblée gémissante, il y avait un mur de pierre dont le sommet était masqué par la frondaison des arbres. Par une brèche pratiquée dans cette muraille, il devinait le désert, vaste étendue de sable dominée par des dunes. Ces gens venaient-ils de là ?

Le géant empoigna tour à tour les cordes épaisses constituant le pont afin de s'assurer de leur solidité, et fit quelques pas sur les planches du tablier rendues glissantes par l'humidité ambiante.

— Ça devrait aller, murmura-t-il avec une grimace.

Il se servit ensuite de sa main libre pour garantir son équilibre et avança droit devant lui.

Le pont suspendu se mit à balancer doucement, puis de plus en plus violemment. Tom s'arrêta et affermit sa prise. Les cent kilos de charge qu'il soutenait en travers de l'épaule avaient tendance à le déséquilibrer. Il se remit à progresser. De sinistres craquements retentirent. Quelques jurons et une nouvelle pause. Il avait presque franchi la moitié du parcours. De l'autre côté, les gens ne se plaignaient plus. Le géant refit quelques pas et sentit la sueur dégouliner de son visage. À travers les planches du tablier, il apercevait l'urne ouverte et menaçante d'un énorme népenthès. Il jeta un regard vers la corde qui servait de main courante, et eut un haut-le-cœur. Elle s'effilochait !

La construction se mit à tanguer et à craquer de toutes parts. Des rires démoniaques retentirent. Tom leva les yeux. Les souffreteux s'étaient transformés en d'horribles gnomes. Il comprit que tout cela n'avait été qu'une illusion. La passerelle céda. Il se sentit aspiré par le vide, vers un sort affreux.

Cynthia avait beau se raisonner, une force intérieure, maléfique, la poussait à douter. Elle pensa à l'amour qu'elle ressentait pour Lorri, aux merveilleux moments qu'ils avaient passés ensemble. Une lumière brilla dans l'obscurité, comme un peu de confiance retrouvée.

L'escalier semblait interminable. Depuis plusieurs minutes, répercuté par l'écho, un souffle puissant retentissait à intervalles réguliers. Cynthia soupçonna la présence d'une énorme machinerie dans les profondeurs du sol. Elle s'arrêta, le temps de se débarrasser de son manteau, et écouta. Quelle pouvait bien être l'origine de ce bruit sinistre ? Une fonderie ? Un déclic se fit dans son esprit. La forge ! C'était le bruit de la forge qu'elle entendait, bien sûr. La Forge Noire !

La jeune femme descendit une nouvelle volée de marches, puis aboutit enfin sur une surface plane. La chaleur devenait étouffante. Un passage voûté s'ouvrait devant elle, envahi par un rougeoiement aveuglant. Et elle les vit, Lorri et Melaine, ou plutôt leurs silhouettes, se détachant à contre-jour, à quelques dizaines

de mètres à l'intérieur du tunnel. Elle ne distinguait pas leurs visages, plongés dans l'ombre, mais elle devina qu'ils la regardaient.

— Lorri ? Melaine ? Mais à quoi vous jouez ? Et toi, Laurent, comment t'es-tu retrouvé ici ?

— Je ne t'aime plus, Cynthia. C'est elle que je choisis.

— Qu'est-ce que tu racontes ?

La jeune scientifique avait dû faire un effort pour affermir sa voix. Les paroles que venait de prononcer Laurent lui avaient percé le cœur comme une vrille. Elle se mit à avancer lentement. Le couple recula.

— Ex... explique-toi, Lorri, parvint-elle encore à articuler.

Plus elle avançait, plus sa souffrance augmentait. Des larmes coulèrent sur ses joues. Elle se trouvait maintenant à moins de cinq pas de ses amis. Ses amis ? L'étaient-ils encore ? *Il y a forcément une explication,* pensa avec force Cynthia. Quatre pas... Trois... Deux... Elle voulut tendre la main pour agripper le bras de Lorri. Il se déroba. Cynthia avait quitté le tunnel de pierre. Elle eut à peine le temps de s'en rendre compte qu'une meute gesticulante s'accrocha à elle de toutes parts. Les nains ! Ils lui faisaient mal. L'un d'eux mordit son avant-bras tandis qu'elle tentait de le repousser. Vaincue par le nombre autant que par l'épouvante, elle perdit conscience.

—  Arrête, maman !

Melaine avançait doucement. Elle était enfin arrivée en bas de l'escalier, à l'entrée d'un couloir voûté. Il faisait une chaleur torride. Sa mère attendait à l'intérieur du passage, les bras sur les hanches.

—  Te voilà enfin ! Tu en as mis, du temps ! Une fois encore, tu ne voulais en faire qu'à ta tête !

—  Quand cesseras-tu de me faire des reproches, maman ? Et veux-tu me dire ce que tu fabriques ici ? Comment as-tu su que je me trouvais au castel de Blackforge ?

Melaine ne distinguait pas le visage de sa mère. À l'autre bout du passage, il devait y avoir un feu qui brûlait. Un énorme feu. Et autre chose, aussi, qui faisait un vacarme d'enfer, comme une locomotive à vapeur.

Prise d'un accès de rage, Melaine avança à grands pas. Cette fois-ci, elle allait lui montrer de quel bois elle se chauffait !

Melaine sortit du passage voûté sans avoir pu joindre sa mère. Elle se trouvait en hauteur, au bord d'une vaste salle aux murs noirs dégoulinant d'humidité. La jeune femme aperçut, en contrebas, un énorme foyer circulaire au-dessus duquel pendaient des cages. Elle se mit à hurler lorsque des nains l'assaillirent de tous côtés. Puis ce fut le néant.

Nancy avait l'impression de peser une tonne. Elle transpirait comme une outre. Et cet escalier qui n'en finissait pas ! Ses mollets la faisaient souffrir, son souffle s'était emballé, les battements de son cœur devaient frôler les cent vingt pulsations par minute… Oui, ils avaient raison. Elle n'était rien d'autre qu'une petite Anglaise bien grasse !

Elle atteignit enfin la dernière marche. L'air était brûlant. Lorri et Keewat s'étaient réfugiés dans un couloir étroit débouchant dans un espace rougeoyant. Ils apparaissaient à contre-jour. Elle les entendit hurler de rire.

— Un vrai boulet ! Ça fait une heure qu'on t'attend. Tu ne mérites plus de faire partie des nôtres, Nancy !

Qu'est-ce qui leur arrivait ? Laurent et Keewat avaient toujours été des garçons d'une politesse remarquable. Elle sentit des larmes monter, sa gorge se nouer.

— Où sont les autres ? réussit-elle à demander.

Ils ne lui répondirent pas mais se mirent à reculer. Nancy avait du mal à reprendre haleine. Elle enrageait. Elle leur adressa un regard chargé de haine, et leur lança :

— Vous êtes des imbéciles !

Elle se glissa dans l'étroit passage. Il ne lui fallut qu'une poignée de secondes pour déboucher de l'autre côté. Nancy frémit. Un énorme soufflet activait la forge. Le foyer dépassait les cinq mètres de diamètre. Il constituait le centre d'une grande rosace. Une rosace pourpre ! Le bruit et la chaleur étaient insoutenables. Les murs, luisants d'humidité, étaient sculptés d'affreuses arabesques d'où émergeaient des effigies monstrueuses. Sous le jeu des ombres, ces représentations, mi-hommes mi-bêtes, s'animaient de rictus grimaçants.

Nancy aperçut les cages, au-dessus du foyer. Elle plissa les yeux. Des filles étaient enfermées dans deux d'entre elles ! Terrorisée, elle voulut faire volte-face, mais n'en eut guère le temps. Elle éprouva l'épouvantable sensation qu'une masse grouillante d'araignées se jetait sur son corps, des araignées de la taille d'enfants ! Elle se sentit défaillir puis perdit conscience.

# 15

# Une machinerie infernale

Lorri et ses compagnons avaient atteint puis escaladé le perron jouxtant l'habitation en ruine. Des pierres gisaient un peu partout, fendues ou cassées en mille morceaux, et les mauvaises herbes avaient colonisé les interstices, renforçant la désolation générale. Malgré cela, le mur de la façade, percé d'ouvertures béantes, tenait encore bon. La charpente, quant à elle, avait depuis longtemps disparu. Ils pénétrèrent dans la pièce principale, au rez-de-chaussée.

— Cette cheminée est énorme ! s'étonna le Tchippewayan en jetant un coup d'œil prudent à l'intérieur du conduit. On y rôtissait des bêtes entières, pour sûr !

Aude frissonna. Le vent mugissait, se faufilant partout et créant des courants d'air

glacés. Elle leva la tête vers le ciel. La pluie se remettait à tomber. Pas en averses torrentielles, mais en bruines intermittentes, poisseuses. Au-delà du dernier étage, à travers le toit manquant, elle pouvait voir une partie du donjon.

— À l'origine, ce donjon devait bien faire les cinquante mètres, jugea-t-elle. Force est de constater qu'aujourd'hui, le château est dans un triste état... et lugubre. Comment quelqu'un peut-il vivre dans un tel endroit ? Il faut être un détraqué... Dire que Cynthia, Melaine, Nancy et Tom sont retenus prisonniers ici depuis plusieurs jours...

— Les Immondes sont des détraqués, appuya Lorri.

— Sans compter les nains sanguinaires qui, selon le père Andrew, s'y cachent également, glissa Keewat. Mieux vaut être sur nos gardes.

— Apparemment, il n'y a rien dans cette zone, conclut Laurent après avoir jeté un regard circulaire. Mais nous sommes loin d'avoir tout exploré. Il y a un escalier, au fond. Allons y jeter un coup d'œil sans perdre de temps.

Il leur fallut plus d'un quart d'heure, en posant les pieds avec circonspection, pour

arriver à l'étage le plus élevé, sur le dernier seuil. Sous eux, à cause des planchers manquants, il y avait le vide. Ils pouvaient ainsi contempler la totalité de la construction. Aude tendit le bras devant elle et montra un point précis :

— Il y a une autre ouverture, là-bas. On dirait qu'elle mène au donjon.

— Tu as raison, approuva Lorri. Et cette plate-forme, qui s'étale jusque-là, doit être les vestiges d'une ancienne galerie. Nous pourrions tenter d'y accéder. D'ailleurs, regardez ces saillies. Elles devaient supporter des poutres. En sautant de l'une à l'autre, nous devrions y parvenir. Qu'en penses-tu, Keewat ?

— J'en pense que si nous avions des ailes, ce serait plus aisé ! Mais je suis d'accord pour risquer le coup. Le bâton que m'a remis le père Andrew va trouver une utilisation. Aude s'en servira comme balancier. Ce sera plus facile pour elle. Quant à nous, nous n'en sommes pas à notre premier numéro d'équilibristes !

Ils descendirent l'escalier d'une quarantaine de marches et mirent leur plan à exécution. Le chemin, pour atteindre le but qu'ils s'étaient fixé, se révéla des plus hasardeux. Keewat sentit son pouls s'accélérer lorsqu'il

vit Aude osciller dangereusement au-dessus du vide pour reprendre pied. Le saut qu'elle venait de faire avait été trop appuyé.

— Ce n'était pas un bon plan, intervint Lorri qui, comme son compagnon, avait été traversé par un vent de panique. Faisons demi-tour.

— Ah non ! s'exclama la jeune Auvergnate. Pas question de revenir en arrière maintenant ! J'en ai vu d'autres !

Les trois aventuriers vinrent finalement à bout du défi et joignirent sains et saufs l'entrée du donjon. L'ouverture béait sur un rectangle d'obscurité. Au-dessus, il y avait un haut-relief de forme circulaire, au centre duquel émergeait un moignon de sculpture rongé par les siècles.

— Ce sont les restes d'une tête, jugea Lorri.

— Celle d'un animal, alors, précisa à son tour Aude. Voici sa gueule. Et là, ce qu'il reste de ses crocs.

— Moi, ce qui m'intrigue le plus, ajouta Keewat, c'est ce qu'il y a en dessous. Ces ornementations me rappellent vaguement quelque chose.

— Il y a un escalier qui descend, déclara Laurent après avoir sorti une lampe de poche

qu'il braquait dans l'ouverture. Qu'est-ce qu'on fait ?

— *Nâhdudhi,* murmura l'Amérindien. Je sens de mauvaises choses. Es-tu sûr que c'est une bonne idée ?

— Moi, j'y vais ! décida Lorri.

Aude fixa Keewat et lui saisit la main.

— Nous devons délivrer nos amis, dit-elle en entraînant son compagnon derrière elle.

L'escalier courait à l'intérieur du mur. Mis à part la terre battue, glissante, qui avait suinté des joints dissous par l'eau de ruissellement, l'ouvrage restait en assez bon état. Les trois amis descendirent ainsi une cinquantaine de marches avant de faire une première halte.

— C'est bizarre, constata Lorri. Nous avons dû atteindre, peut-être même dépasser le niveau du rez-de-chaussée. Où cet escalier conduit-il ?

— J'ai l'impression d'avoir été métamorphosée en cafard. Toute cette humidité

et cette odeur de moisissure… Tu ne pourrais pas appeler Anselme Séverin à la rescousse? lança Aude.

— Il apparaît toujours sans s'annoncer. Désolé! Quant à le sonner, je ne sais pas de quelle manière je pourrais le faire. Mais s'il m'a donné rendez-vous ici, tu peux être certaine qu'il se manifestera à un moment ou à un autre. En attendant, je suggère de continuer. Cet escalier finira bien par nous mener quelque part.

Il s'écoula un quart d'heure supplémentaire avant que ne se présente du nouveau. L'escalier continuait à s'enfoncer dans les profondeurs du sol quand un passage s'ouvrit à leur droite. Ils en avaient croisé d'autres, mais tous semblaient avoir été murés. Laurent, qui marchait en tête, obliqua dans sa direction. Après une dizaine de pas, ils débouchèrent dans une rotonde. Du plafond en forme de coupole de cette pièce partait un conduit d'aération. Au niveau du sol, un rebord permettait de longer une partie centrale qui avait été excavée. Ce qui attira immédiatement l'attention des jeunes explorateurs, ce fut l'étrange machinerie rouillée trônant au milieu de la cavité. Elle baignait dans une eau noire, à moitié immergée.

— On dirait une piscine, avança Lorri. Mais à quoi pouvait bien servir ce truc, là, au centre ?

— Il n'y avait pas de piscine au Moyen Âge, intervint Aude. Disons plutôt un bassin.

— Il y a un trou à moitié comblé au fond, ajouta Keewat. Et cette chose, en travers, ressemble à une grosse hélice.

Laurent braqua la lampe de poche avec insistance dans cette direction. De nouveaux détails apparurent, notamment une sculpture de bronze représentant un être fantastique ailé et griffu, mi-homme mi-chauve-souris. C'est ce moment que choisit Anselme Séverin pour surgir du néant.

⇘

Tom avait agité les bras pour entraver sa chute. En vain. Il avait vu avec effroi se rapprocher à toute vitesse la gueule ouverte du népenthès géant. Contrairement aux sacs qu'il avait lâchés, lui était tombé directement dedans. Il plongea dans une eau chaude, nauséabonde. Le couvercle du réceptacle végétal se referma.

Le géant se mit à hurler. Il était vivant, mais pour combien de temps encore ? Il s'attendait à ressentir la morsure cruelle des

sucs de la plante carnivore. Digéré tout vif! L'horreur totale. Il battit des pieds pour rester à la surface. Tout cela dépassait l'entendement : des êtres de cauchemar sortis d'outre-tombe régnant en maîtres dans une forteresse truquée comme un théâtre. Il avait l'impression d'être la vedette d'un film de série B… ou celle d'un mauvais jeu vidéo. Il n'eut pas le temps de pousser plus loin sa réflexion, car il se sentit aspiré d'un coup vers le bas : l'urne de la plante était en train de se vider.

Tom tenta de s'agripper. Les parois avaient la consistance d'un caoutchouc gluant. Les mains du colosse ne purent saisir la plus petite prise. Il fut entraîné à travers la tige. L'obscurité se fit totale, puis il ne sentit plus le contact de la paroi. Il tombait. Sous lui, il entendit le bruit d'une cascade, celui des milliers de litres d'eau qui accompagnaient sa chute. Puis il percuta la surface d'un liquide dans lequel il s'enfonça de plusieurs mètres, avant d'émerger à nouveau à l'air libre. Il se mit à tousser et à cracher. Il n'y voyait toujours rien. Ce qui le rassurait, c'est qu'il était bien vivant et qu'il avait échappé au népenthès. Mais où pouvait-il se trouver ?

Tom exécuta quelques brasses pour se réchauffer. Contrairement à celle de l'urne

végétale, cette eau était plutôt froide. Il fit un cercle dans l'eau sans que ses mains rencontrent le moindre obstacle. Il constata également que l'obscurité n'était plus totale. Quelque chose était en train de se passer. La surface de l'eau ! C'était cela. Une lueur, venue il ne savait d'où, l'éclairait par-dessous.

Le colosse y vit bientôt assez clair pour se repérer. Il nageait à la surface d'un bassin d'une dizaine de mètres de diamètre. Des murs de pierre s'élevaient tout autour et se rejoignaient au plafond, sur un puits vertical, assurément d'où il était tombé. À quoi rimait cette mise en scène ? Il comprit que le népenthès n'était qu'un leurre, qu'une espèce de farce de très mauvais goût. *J'ai bien cru que ma dernière heure était arrivée,* se remémora avec effroi le géant. *Les types qui ont conçu ce truc n'ont pas les idées saines. Il ne serait pas surprenant que les Immondes soient bien les instigateurs de tout ceci…*

Les choses se précipitèrent à nouveau. L'eau, brillamment illuminée, avait maintenant la couleur du sang et subissait un mouvement de rotation.

— C'est en dessous que ça se passe, murmura le Kenyan.

Il plongea. Le bassin avait une profondeur d'une demi-douzaine de mètres. Il repéra immédiatement la rosace pourpre à l'origine de la luminosité ambiante. Il repéra aussi le monstre sculpté qui l'accompagnait, une espèce de chimère mi-homme mi-chauve-souris, à côté duquel tournait une grosse hélice.

Tom refit surface, le front soucieux. L'eau se mettait à tourbillonner de plus en plus vite, l'entraînant inexorablement dans son mouvement. Il se mit à nager de toutes ses forces pour tenter de rejoindre la paroi. Ses muscles étaient d'une telle puissance qu'il pouvait accomplir des miracles, ce qui lui permit de se rapprocher du bord. Pas assez, cependant. À cause du siphon qui commençait à se creuser, il avait de plus en plus de mal à avancer. Le géant redoubla d'efforts, gagna un mètre encore, puis se sentit aspiré. Une seconde fois, la panique le submergea. Il allait finir broyé.

— Ton ami a besoin d'un sérieux coup de main !

Lorri se retourna violemment et se trouva nez à nez avec Anselme Séverin. Il s'attendait bien à une nouvelle apparition de ce genre, mais une fois encore, il avait été surpris.

— Brrr ! Vous me faites toujours une de ces frousses !

— Il est là, Lorri ? Où ? demanda Aude.

— Ici, juste à côté de moi, répondit le jeune Québécois.

— Ne perds pas une minute. Regarde le bassin dans le miroir que je t'ai remis. Tu vas comprendre, commanda le prêtre.

Laurent sortit l'objet de sa poche. Il sentit ses cheveux se dresser sur sa tête.

— Fiente d'ours ! jura le Tchippewayan, qui avait vu lui aussi. C'est Tom ! Il va être aspiré par cette horrible machinerie !

— Que pouvons-nous faire ? hurla Lorri. S'il vous plaît, aidez-nous, monsieur le curé !

— Le bâton que tient cette jeune fille… Jette-le dans l'eau. Dépêche-toi !

Lorri se tourna vers Aude, lui arracha vivement la perche des mains. Il la propulsa près de l'endroit où se débattait Tom. La scène apparaissait clairement dans le miroir. Mais quel secours pouvait bien apporter ce frêle bâton à leur malheureux compagnon ? Il ne voyait vraiment pas…

Lorri aperçut le géant refermer les mains sur quelque chose. Incroyable ! C'était bien leur bâton que Tom tenait aussi fermement.

— Il a disparu ! Le bâton a disparu ! s'écria Aude en désignant l'eau stagnante où Laurent venait de jeter l'objet.

La jeune femme ne regardait plus à travers le miroir, par-dessus l'épaule de Lorri, mais directement vers le bassin.

Les trois amis se firent de nouveau attentifs à ce qui se déroulait dans le reflet de l'objet magique. Ils virent le Kenyan plonger résolument vers la machinerie. La scène devint confuse. Une gerbe d'eau éclata soudain, puis le liquide cessa de tourbillonner. L'attente fut interminable. Une tête émergea soudain. Tous trois hurlèrent de joie. C'était Tom qui refaisait surface, sain et sauf !

— Yaou ! se réjouit Laurent. Ça a marché ! Le diable si j'y comprends quelque chose !

— À mon tour de te supplier, mon jeune ami, dit Anselme Séverin en faisant la grimace. Ne prononce pas ce nom en ma présence, tu veux bien.

— Excusez-moi, monsieur le curé.

— Qu'est-ce que tu as fait ? s'étonna Aude. Pourquoi t'excuses-tu ?

— J'ai offensé monsieur le curé sans le vouloir, expliqua Lorri. Rien de grave.

Il se tourna à nouveau vers le fantôme de l'ecclésiastique.

— Ils aimeraient vous voir, eux aussi, vous savez. Vous ne pouvez toujours pas…

— Non, je te l'ai déjà dit. C'est toi que j'ai choisi pour la communication. Tu peux leur dire que je les trouve également du tonnerre ! Vous formez une bonne équipe.

— Mais… où se trouve Tom ? reprit Laurent. Ce décor, dans le miroir, c'est bien le même que celui-ci ?

— C'est le même, en effet. Mais dans un espace-temps différent.

— Comment pouvons-nous le rejoindre ? Et Cynthia ? Et les autres ?

— Comme le bâton, hein ? C'est ça que tu me demandes ? Vous sentez-vous prêts à affronter les Immondes une nouvelle fois ?

— Cent fois plutôt qu'une ! Après ce que nous venons de voir, je ne doute plus que nos amis aient besoin de nous. Envoyez-nous auprès d'eux, monsieur le curé.

— Très bien. Alors, sautez dans l'eau.

— Heu… Là, maintenant ?

— Oui, oui. Ne me dis pas que tu as peur de l'eau !

— Il affirme que nous devons sauter dans le bassin, annonça Lorri en se tournant vers Aude et Keewat.

— Là-dedans ! Mais, pourquoi faire ? C'est vraiment indispensable ? demanda la jeune femme.

— Il va nous envoyer là-bas, dit Lorri en désignant le miroir, rejoindre Tom, Cynthia, Melaine et Nancy pour que nous les arrachions aux griffes de nos ennemis.

— Alors, sautons ! décida Keewat en saisissant la main d'Aude et en faisant un pas en avant. Un bon bain n'a jamais tué personne.

— Allons-y ! hurla Laurent en se ruant à son tour vers le bassin.

# 16

# La Forge Noire

Il faisait une chaleur insoutenable. L'air pénétrant dans ses poumons était brûlant. Chaque fois qu'elle expirait, Cynthia avait l'impression que son souffle faisait un bruit épouvantable. Elle ouvrit les yeux. La mémoire lui revenait : le donjon, cet escalier qui n'en finissait pas, Lorri, Melaine, des larmes et de la douleur, les affreux gnomes…

D'un geste lent de la main, elle se débarrassa des cheveux qui lui collaient aux yeux à cause de la sueur. Elle mit quelques secondes avant de réaliser qu'on l'avait enfermée à l'intérieur d'une cage. Elle se redressa. La cage se mit à balancer. On l'avait enfermée et suspendue ! En jetant un regard au-delà du plancher de fer, matière dont était faite

sa cellule, elle fut horrifiée. Dix mètres plus bas, un peu décalé, il y avait un foyer rougeoyant. C'est de lui que montait cette chaleur suffocante. À intervalles réguliers, l'air expulsé par un énorme soufflet le faisait palpiter. Cynthia comprit que ce foyer de plusieurs mètres de diamètre était le centre d'une rosace pourpre, ces étranges ornementations dont se servaient les Immondes pour accomplir leurs sortilèges. Ainsi, la boucle était bouclée… Elle se trouvait à nouveau à leur merci.

Cynthia se força à porter les yeux sur le décor environnant tant elle redoutait la présence des monstres. Son cœur se mit à battre à tout rompre. Ils étaient là, vêtus de leurs sempiternels habits de bure. Deux d'entre eux allaient et venaient ; le troisième se tenait debout devant une vasque contenant du liquide en rotation. Elle aurait juré qu'il riait en contemplant le récipient. À moins que ce ne fût là le rictus naturel de sa bouche, aux lèvres quasi absentes, retroussées sur une dentition de carnassier, elle-même enchâssée dans une mâchoire aux os saillants sous une peau parcheminée. Tout cela, Cynthia le devinait plus qu'elle ne le voyait, mais elle savait qu'elle ne se trompait pas. Elle avait déjà pu contempler de près les Immondes. Ils étaient

effrayants. Sans parler de cette odeur de mort qui empestait lorsqu'ils se déplaçaient.

Cynthia aperçut d'autres cages suspendues comme la sienne. La première contenait un corps recroquevillé, inconscient, celui de Melaine. Derrière, en file indienne, il y en avait encore trois ou quatre. Toutes étaient occupées.

La jeune scientifique chercha à comprendre ce qui les attendait. Les cages étaient reliées les unes aux autres par une chaîne. Celle-ci s'articulait autour de plusieurs poulies et pouvait se déplacer sous l'action d'une machinerie. Et la trajectoire de la chaîne passait au-dessus du foyer. De l'autre côté du feu, il y avait encore des cages. Vides.

Cynthia déglutit. Elle se mit à trembler. Il n'y avait qu'une explication possible : elle, comme les autres, allait finir brûlée vive. Elle essaya de se dominer.

Où était passé Lorri ? Cynthia rampa vers un coin de sa cage pour se rapprocher de Melaine. Elle tenta de l'appeler. Après quelques tentatives infructueuses, la jeune femme se mit à geindre et à remuer. Elle tourna la tête vers Cynthia, qui lui fit signe de la main.

— Réveille-toi, Melaine. Où est Lorri ?

— Lo… Lorri ? Je… je ne sais pas. Cynthia ! Où sommes-nous ?

— Prisonnières des Immondes. Non… non ! Pas d'affolement, ou nous sommes foutues ! Essaie de te souvenir où tu as laissé Lorri.

— Lorri ? Il est ici ?

Cynthia réfléchit. Et si tout cela n'avait été qu'une adroite et perverse mise en scène ? Elle reprit :

— Vous couriez ensemble, dans l'escalier. Là-haut, vous vous êtes… retrouvés dans une des chambres, tu te rappelles ?

— Tu dis n'importe quoi, Cynthia. Je n'ai pas revu Laurent ni Keewat depuis notre première rencontre, en Bretagne.

La jeune scientifique eut soudain une inspiration. Elle demanda à son amie :

— Pourquoi es-tu descendue dans le donjon ?

— Ma mère… Où est-elle, d'ailleurs ? L'as-tu vue ? C'est insensé, mais elle était ici. Elle n'arrêtait pas de me faire des reproches. La chanson habituelle, quoi ! J'ai essayé de la suivre, mais… Que m'est-il arrivé, au fait ?

Melaine se rapprocha doucement du bord de la cage, saisit ses barreaux à pleines mains et jeta un regard circulaire. Elle aperçut les

Immondes, qui ne paraissaient pas se soucier d'elles pour l'instant, le foyer, le gros soufflet, et Nancy, dans la cage suivante. Son amie était assise, et semblait la regarder sans la voir.

— Nancy ! Nancy ! C'est moi, Melaine !

— Nous allons mourir, Mel, répondit la jeune Anglaise d'une voix alanguie. Oui, mourir…

Melaine avait dû faire un effort pour saisir ces paroles, à cause du bruit du soufflet. Elle entendit ensuite de désagréables zézaiements. Un groupe de nains venait de pénétrer dans la forge. Certains étaient malingres, d'autres gros comme des toupies. Tous étaient hideux. Plusieurs d'entre eux montrèrent les cages de leurs doigts tordus comme des sarments de vigne et se mirent à danser de manière frénétique et grotesque. Puis ils allèrent rejoindre les Immondes.

— C'est la faute de Lorri et de Keewat, poursuivait Nancy de sa voix apathique. Ils n'ont pas été gentils avec moi… Non, pas gentils du tout…

— Qu'est-ce que tu racontes, Nan ! Tu délires ou quoi ? Laurent et Keewat ne sont pas ici !

Melaine s'était légèrement redressée. Ses forces lui revenaient.

— Les Immondes ont provoqué ces visions dans notre esprit, intervint de loin Cynthia.

Elle avait deviné le sens de la conversation entre Melaine et leur amie anglaise. Maintenant, elle en était à peu près sûre, les Immondes avaient exacerbé en elles certaines de leurs faiblesses, ou de leurs craintes, et s'en étaient servis. Elle-même avait cru voir Lorri dans les bras de Melaine, et le doute l'avait assaillie concernant la solidité de sa relation amoureuse avec lui. Quant à Melaine, elle avait des problèmes relationnels avec sa mère, elle en avait déjà parlé... Pour Nancy, elle ne savait pas quelle faiblesse les Immondes avaient pu susciter, mais il devait y avoir également une explication semblable. Manque de confiance, jalousie, rancœur... Des sentiments que beaucoup possèdent en eux et qu'ils tentent de refouler... Ainsi, c'était cela. Les Immondes avaient la faculté de lire dans les esprits et d'en exploiter le plus mauvais. Elle pensa à Tom. Où était-il ? Elle essaya de le repérer, sans succès. Un doute s'empara d'elle. Ces cages qui se balançaient, vides... Et si... Une rumeur monta soudain, la détournant de ses appréhensions. Quelque chose d'inattendu avait dû se passer. Les Immondes étaient réunis autour de la vasque, dont le

contenu avait disparu, et discutaient en gesticulant. De sa position, Cynthia ne saisissait pas leurs propos. Parlaient-ils seulement un langage qui lui était connu ? Tout ce qu'elle savait, pour les avoir entendus, à l'intérieur de leur précédent sanctuaire, c'était qu'ils partageaient la même voix. Et que cette voix ressemblait à un coassement auquel se mêlaient de désagréables sifflements. Crapaud et serpent... Cela pouvait paraître exagéré, mais c'était bien la meilleure comparaison qui lui était venue. Crapaud, serpent, sortilèges, monstres vivants, donjon, forces maléfiques... Était-elle, avec ses amis, perdue dans un univers parallèle, celui des contes et des légendes ?

Sous un commandement de leurs maîtres, les nains quittèrent la forge avec précipitation. Qu'allaient-elles devenir, toutes les trois ?

Tom Ndzouri avait maintenant la conviction que sa vie allait s'arrêter ici, dans ce castel maudit. Il ne voyait pas comment il pourrait échapper au sort qui l'attendait : mourir déchiqueté par les pales de l'hélice. Il ne lui restait plus, le moment venu, c'est-à-dire

dans quelques secondes, qu'à présenter sa tête en premier pour que tout soit fini au plus vite. Décapité. C'était mieux que de se sentir peu à peu découpé en rondelles par les pieds. Alors qu'il s'était résigné à son destin, l'une de ses mains heurta soudain quelque chose. Il la referma par réflexe. Ce quelque chose, un bâton sorti de nulle part, avait semblé léger et frêle avant de devenir inexplicablement lourd et dense. C'était maintenant une solide barre de fer qu'il tenait en main.

Le colosse affermit sa prise et fit glisser la barre de telle sorte qu'il puisse la maintenir à l'une de ses extrémités. Son esprit avait travaillé à la vitesse de l'éclair. Il n'hésita pas une seconde de plus avant de plonger vers la machinerie. À cause des turbulences, il distingua à peine le monstre ailé dominant l'hélice. Il enfonça la barre là où tournaient les pales. Il ressentit un choc brutal dans les avant-bras. Le tourbillon cessa net. Par réaction, une vague de liquide le refoula violemment vers la surface. Il avait gagné ! L'hélice s'était bloquée d'un coup. Il ne perdit pas de temps à savourer son succès et se mit à nager vers le bord du bassin. Il accrocha l'angle d'une pierre, se hissa vers le haut, et se tira définitivement d'affaire.

Tom était vanné. Il resta assis de longues minutes, les jambes ballant dans le vide, pour reprendre son souffle. Il y eut soudain un énorme bruit d'eau. La voûte était-elle en train de s'effondrer ? Le Kenyan mit les bras au-dessus de sa tête pour se protéger tout en risquant un œil vers le plafond. Plusieurs voix retentirent du bas :

— Tom ! Tom ! Nous t'avons enfin retrouvé !

Aude, Keewat et Lorri venaient d'émerger par miracle de l'eau et battaient des pieds pour se maintenir à la surface. Tom Ndzouri se redressa. Il n'en croyait pas ses yeux.

— Aïe ! Elle n'est pas chaude, se plaignit la jeune femme en nageant vers le géant. Pourrais-tu m'aider ?

— Par mes ancêtres kikuyus ! Que faites-vous ici ? Avez-vous dégringolé de là-haut ?

Il tendit une main large comme une assiette et hissa l'Auvergnate sans effort apparent. Quelques secondes plus tard, c'était au tour des deux garçons de regagner le sol ferme. Ils s'envoyèrent de grandes tapes dans le dos.

— Quelle histoire ! s'exclama Lorri. Non, nous ne venons pas des airs, expliqua-t-il. Enfin, un peu, quand même... Anselme Séverin

nous a donné un coup de pouce. C'est difficile à imaginer, mais nous étions au même endroit que toi, c'est-à-dire ici. Nous y étions sans y être, dans un espace-temps différent du tien. Grâce au curé, nous avons pu te rejoindre.

— Démoniaque, il n'y a pas d'autre mot ! Il se passe dans ce lieu des choses terribles, lâcha le colosse de sa grosse voix. J'ai failli être digéré vivant par une monstrueuse plante carnivore avant de finir broyé par cette machinerie, au fond du bassin. Je m'en suis sorti grâce à je ne sais quel prodige… Me croiriez-vous si je vous racontais qu'ici, le bois a aussi la faculté de se transformer en fer ?

— Nous avons assisté à la scène, renchérit Keewat. C'est Lorri qui t'a balancé la perche. Elle s'est changée en fer, dis-tu ?

— Tout à fait. Ma main tenait du bois, j'en suis certain. La seconde suivante, mes doigts serraient du métal. C'est à ne rien y comprendre… Et sans cela, j'étais déchiqueté. Vous parlez d'une fin !

— Les Immondes sont à l'origine de tous nos tourments, intervint Aude en se séchant du mieux qu'elle pouvait. Un nouveau combat a commencé.

— Sais-tu où se trouvent Cynthia et les autres ? demanda Laurent, inquiet.

— Pas le moins du monde, fit le colosse en secouant la tête. J'étais à leur recherche quand j'ai découvert…

Tom résuma alors les épreuves qu'il avait subies.

— C'est dément. Comment peuvent-ils inventer des choses pareilles ? murmura Lorri en fouillant précipitamment ses poches pour en sortir un miroir. Ouf ! J'avais peur qu'il ne se soit brisé au cours de notre plongeon, reprit-il. Grâce à lui, nous pouvons voir les événements qui se déroulent en dehors de l'univers qui nous est familier. Il agit comme une espèce de fenêtre.

— Un cadeau d'Anselme Séverin, précisa Aude. C'est dans son reflet que nous t'avons vu te débattre contre le tourbillon.

— Anselme Séverin, hein ? Le fameux curé ! Si vous voulez mon avis, il n'a pas fini de nous venir en aide, conclut le géant. Comment sortir d'ici, par exemple ? À ma connaissance, il n'y a pas d'autre issue que celle par où je suis descendu, dans la tige du népenthès. Ton miroir pourrait-il nous indiquer la sortie, par hasard ?

Laurent se rendit soudain compte que le passage par lequel ils avaient accédé tous les trois à la salle du bassin, avant que n'intervienne leur mystérieux protecteur, n'existait plus. Il eut beau orienter le miroir de telle sorte que la paroi s'y reflète, aucune issue ne se matérialisait.

— Je… je ne sais pas, bégaya-t-il en replaçant la glace devant lui et en ouvrant les yeux tout grands.

Il se tourna vers ses compagnons, en proie à la panique.

— Les gnomes ! s'écria-t-il. Ils arrivent !

# 17

# Jeux d'eau

Aude, Keewat et Tom s'étaient précipités vers le miroir. Pas d'erreur possible, le tain montrait d'affreux gnomes crapahutant dans un couloir étroit et voûté du castel.

— Qui te dit qu'ils viennent de ce côté ? questionna Aude. Et comment pourraient-ils nous atteindre ? Le passage que nous avons emprunté, et qui permet d'accéder à cette salle, n'existe plus, tu l'as constaté toi-même.

— Si Anselme Séverin nous avertit par l'entremise de cette vision, ce n'est pas pour rien, crois-moi.

— Je me ferai un plaisir d'en écraser plusieurs entre mes mains, fit Tom Ndzouri en bandant ses muscles épais. Qu'ils viennent !

— Je ne suis pas de cet avis, protesta Laurent. Le père Andrew nous a parlé d'eux.

Ce sont des buveurs de sang. Et puis, nous tomberions sous le nombre. Mieux vaut fuir.

— Bon, d'accord ! Mais par où? s'inquiéta l'Africain.

— Est-ce une illusion, ou le niveau de l'eau continue de baisser ? poursuivit Laurent en désignant le bassin.

— Non, tu as vu juste, reconnut le colosse. Il était nettement plus élevé, il n'y a même pas cinq minutes. L'eau doit s'échapper par le puits central, là où l'hélice s'est bloquée.

— Je vais aller voir ce qu'il en est, décida Lorri. Peut-être que ce puits communique avec autre chose. Si je n'y arrive pas, je fais demi-tour. Attendez-moi.

Et il plongea.

L'eau était illuminée de rouge par la rosace. Il passa à proximité de la chimère sculptée, puis s'infiltra entre deux pales. Il sentait le courant l'entraîner. Bientôt, la lumière s'estompa, remplacée par une autre, plus diffuse. Le boyau devint horizontal, puis remonta. Lorri émergea à l'air libre et respira un grand coup tout en étant propulsé par le courant. Les flots le déposèrent sur une surface plane, en pierres jointes, tandis que l'eau, qui continuait à jaillir du boyau, poursuivait

son chemin et allait se déverser quelques mètres plus loin dans un bruit de cascade. En tout et pour tout, il avait dû retenir sa respiration une quarantaine de secondes.

Laurent se redressa et pataugea pour gagner la sortie du conduit. Le passage débouchait sur une corniche étroite, en hauteur, à quelques mètres du plafond voûté d'une nouvelle salle presque complètement inondée. Sur le mur opposé, un escalier sortait de l'eau et permettait d'atteindre un treuil servant à suspendre, au centre de la pièce, un madrier de la taille d'un tronc d'arbre, et garni de chandeliers. Cette seconde salle servait donc d'exutoire à la première, où l'attendaient ses amis.

Entre les jambes de Laurent, le courant perdit tout à coup de sa force et se transforma en simple filet d'eau. *J'ai nagé dans un siphon qui relie les deux salles,* pensa-t-il. *Les niveaux entre elles ont dû s'équilibrer, ce qui explique que l'eau ne coule plus. Je dois aller prévenir les autres.* Il fit demi-tour, aspira une large goulée d'air, et replongea pour parcourir le chemin inverse. Il retrouva le premier bassin, refit surface, et exposa la situation à ses compagnons. Quelques minutes plus tard, tous sortaient du second puits.

— Où sommes-nous, exactement ? demanda Keewat en aidant Aude à s'extraire de l'orifice.

— Comme je vous l'ai dit, ce passage débouche dans cette nouvelle salle, expliqua Lorri en désignant l'espace. Sous l'action de la gravité et de la pression, l'eau entraîne l'hélice en passant de l'endroit d'où nous venons à ici. Lorsque l'équilibre est atteint entre les niveaux de la première et de cette seconde salle, tout s'arrête. Un peu comme un évier qui se viderait dans un autre, plus bas. À quoi ça sert ? Ça, je me le demande !

— À faire du hachis avec les gens qui se trouvent dans le premier bassin ! ironisa Tom. Il faut avoir l'esprit tordu pour inventer des trucs pareils !

— Nous avons eu la même réflexion, dit Aude en frissonnant. Ce sont de véritables monstres... Dites, croyez-vous que les gnomes sont capables de nous suivre jusqu'ici ?

— J'espère qu'ils n'aiment pas l'eau ou qu'ils ne savent pas nager, laissa tomber Keewat.

— Écoutez ! coupa Laurent. Vous entendez ce bruit ?

Un énorme souffle résonnait à intervalles réguliers.

— La forge ! reconnut l'Amérindien. Nous y voici !

*Un bruit de locomotive à vapeur, mais qui garderait toujours le même rythme*, pensa Lorri.

Le son, sortant de nulle part, semblait-il, avait quelque chose d'inquiétant. Tout ce que les jeunes pouvaient supposer, c'était que la forge se trouvait derrière l'un des quatre murs de la salle inondée.

— Regardez ! s'exclama soudain Aude, en désignant le haut de la paroi contiguë à celle où ils se tenaient, au ras du plafond, on dirait une espèce de soupirail. Vous voyez cet intense rougeoiement ?

— Il s'agit bien de la Forge Noire ! conclut Lorri en serrant les poings.

— Tu ne te trompes pas, mon jeune ami !

Cette voix, Laurent l'avait reconnue. C'était celle d'Anselme Séverin. Le prêtre sorti une fois de plus du néant se tenait à califourchon sur le madrier suspendu au-dessus de la surface de l'eau.

— Monsieur le curé ! cria Lorri, ce qui fit sursauter ses compagnons. Nous sommes à la Forge Noire, n'est-ce pas ?

— Où est-il ? Où est-il ? répéta Tom Ndzouri en écarquillant les yeux et en battant

l'air de ses mains pour saisir l'invisible. Je veux lui serrer la pince, à ce brave homme !

— Peine perdue, laissa tomber Keewat. Il n'y a que Lorri qui puisse le voir et l'entendre.

— Il est sur le madrier, précisa Laurent, tout en sortant le miroir de sa poche.

Anselme Séverin venait de lui commander de s'en servir : une scène devait y apparaître.

Le jeune Québécois plaça le tain de telle sorte que ses amis puissent observer. Son cœur se mit à battre. Un décor apparut, provenant tout droit, semblait-il, de l'imagination d'un déséquilibré. Les murs, noirs, dégoulinants d'humidité, étaient habillés de sculptures de dix mètres de haut, représentant des chimères monstrueuses. Il reconnut, à plusieurs reprises, la bête ailée, gardienne du puits par lequel ils avaient fui. Ces œuvres, taillées dans la pierre, par un jeu d'ombre et de lumière, s'animaient de mouvements reptiliens ou affichaient des rictus sauvages. Était-ce simplement un effet d'optique ? Lorri en doutait fort.

La vision changea. Une grande rosace pourpre, fichée dans le sol, emplit le reflet du miroir avec, en son centre, un foyer porté à blanc sous l'action d'un énorme soufflet. Mais ce qui terrorisa davantage Laurent et ses compagnons, ce fut les cages suspendues à quelques mètres au-dessus de la bouche de cet enfer. Lorri distingua Cynthia, Melaine et Nancy. Les autres prisonniers, il ne les connaissait pas. Peut-être s'agissait-il de promeneurs, disparus sur la lande de Blackforge. Ou de quelques ouailles du père Andrew, capturées par les nains… Tout à coup, Laurent faillit lâcher le miroir. Ses amis avaient reculé d'effroi. Un horrible visage était soudainement apparu en gros plan. Celui d'un Immonde. Lorri aurait juré que l'entité maléfique les avait repérés. Le tain du miroir reprit son aspect normal, gommant la vision.

— Que vont-ils faire d'elles ? hurla avec angoisse le Québécois.

Il se sentait prêt à tout pour délivrer la jeune femme qu'il aimait et ses amies journalistes.

Anselme Séverin baissa la tête, gêné :

— Tu connais la légende de la Forge Noire, n'est-ce pas ? Le père Andrew a raison. Dagmar, Danoal et Tugal ne font qu'un avec les Immondes. Ils ont fait du castel de Blackforge un lieu de transition entre leur propre univers et le vôtre, celui des hommes.

Le foyer, au centre de la rosace, permet d'accéder à ce monde, un monde où des êtres se repaissent de toute souffrance, quelle qu'elle soit. À l'intérieur de la Forge Noire, les Immondes utilisent le feu pour immoler leurs victimes. Ces dernières meurent brûlées vives dans une atroce agonie. Cette souffrance, épouvantable, est comme absorbée par les habitants qui peuplent leur univers, de l'autre côté. C'est de ça qu'ils se nourrissent : de la souffrance des hommes… ou de celle de la nature. Mon jeune ami, les Immondes ne sont pas seuls. Il en existe d'autres, comme eux, prêts à surgir chaque fois que survient le malheur, la peine, la désolation…

— Je veux sauver Cynthia ! éclata Laurent, presque en sanglots. Je sais que vos pouvoirs peuvent m'aider. Détruisons ces monstres, une fois pour toutes !

Au ton tourmenté de leur ami, Aude, Tom et Keewat devinèrent que les révélations du prêtre n'étaient pas bonnes. Ils restèrent silencieux, ne sachant que penser.

— Je ne peux agir directement, poursuivait Anselme Séverin. La puissance des Immondes dépasse la mienne. Mais je peux te donner un moyen de fermer cette porte, entre leur univers et le tien, et ainsi condamner à

jamais la Forge Noire. Ils ne pourront plus s'en servir pour intervenir dans le passé ni dans le présent. Pour cela, tu dois combattre le feu par l'eau... Ce mur, sur ta gauche, possède des faiblesses. Sers-toi du madrier sur lequel je me tiens comme d'un bélier. Si tu parviens à défoncer le mur, l'eau de cette salle se déversera dans la forge et noiera le foyer. Tes amies et les autres prisonniers ne risquent rien, puisqu'ils sont en hauteur. Courage, Laurent Saint-Pierre. Maintenant, je dois te quitter, car si je reste, ils vont me démasquer. Je sens leur haleine fétide se rapprocher. On se retrouvera, je te le promets.

Le prêtre disparut.

— Le madrier, vite ! commanda Lorri. Il faut s'en servir pour défoncer le mur.

— Comment ? s'inquiéta Aude, affolée par la fébrilité soudaine de leur compagnon.

— Il y a une solution, intervint Tom, qui avait compris ce que voulait Laurent. Vous voyez ce treuil, en face, en haut de l'escalier ? Il sert sûrement à descendre le madrier lorsqu'on allume les chandelles. Je vais nager jusque-là, actionner le treuil, et ainsi, donner plus de mou pour qu'il puisse balancer. Le plus simple serait, par la suite, de le relier à une ou deux chaînes. En se déplaçant sur les corniches, le long de ce mur-ci et sur celui d'en face, et en hissant en même temps le madrier avec ces chaînes, nous pourrions lui donner assez d'amplitude pour qu'il aille percuter la paroi de la forge.

— Ton plan est bon, Tom ! approuva Keewat. Les corniches ne sont pas bien larges, mais ça devrait aller.

Le colosse ne perdit pas une seconde de plus, et plongea. Il atteignit l'escalier en quelques instants, grimpa les marches quatre à quatre et se mit à l'ouvrage sur le treuil. Laurent entendit un grincement et vit le madrier descendre lentement vers l'eau. La pièce de bois finit par s'immobiliser à cinquante centimètres de la surface.

— Tom nous fait signe, prévint Aude.

— Il a besoin d'aide, jugea le Tchippewayan. J'y vais.

Keewat plongea à son tour et disparut sous l'eau. Il entrevit, dix mètres plus au fond, les formes vagues d'un sol de pierre, puis il

remonta. Il rejoignit Tom Ndzouri, qui lui annonça :

— Une chance qu'il y a des chaînes de rechange. C'est justement ce qu'il nous faut ! J'en ai relié deux entre elles. Tu vas prendre une des extrémités, la passer solidement autour du madrier, et continuer vers l'autre corniche. Avec Lorri, à mon signal, vous commencerez à hisser.

Quelques minutes plus tard, le plan était prêt à être exécuté. Le Kenyan donna le signal à ses amis qui, de concert, se mirent à tirer sur le madrier. Laurent et Keewat, malgré leur vigueur, n'étaient pas trop de deux pour venir à bout de l'exercice. Tom, lui, semblait à peine souffrir de l'effort. Maniée ainsi, la grosse pièce de bois gagna de la hauteur et accusa un angle de plus en plus marqué. Un nouveau commandement de Tom, et ils s'arrêtèrent. Lorri invoqua tous les Anselme Séverin du ciel, puis, sur un dernier signal du géant, lâcha la chaîne.

# 18

# Délivrez-nous du mal !

Cynthia jeta un regard vers ses compagnes d'infortune. Elles étaient recroquevillées au milieu de leurs cages de fer, accablées à la fois par l'air irrespirable et la situation cauchemardesque qu'elles vivaient. La jeune scientifique se savait, elle aussi, au bord du gouffre. Elle attendait, une peur panique au ventre, l'instant où les cages se mettraient en branle. Alors, la souffrance serait épouvantable. Sa peau se carboniserait peu à peu, et elle finirait par s'embraser comme une torche. Elle imaginait Melaine et Nancy, assistant, impuissantes, à cette horreur dont elle serait la première victime. Le mieux qu'elle pouvait souhaiter, c'était de perdre conscience rapidement.

Cynthia tenta de chasser cette vision abominable en reportant son attention sur les

Immondes. Elle se sentit encore plus écrasée par le sort. Comment pourraient-elles toutes les trois échapper à leurs bourreaux ? Elles n'avaient pas affaire à des hommes, mais à des entités surnaturelles. Le seul recours aurait été une intervention d'Anselme Séverin. Qu'était-il devenu ? Avait-il seulement eu connaissance du retour des Immondes ?

Tout à coup, quelque chose changea en elle. Une lueur d'espérance, toute petite, était en train de se frayer un chemin, puis de grandir, de s'amplifier même. L'image de Lorri se forma dans son esprit. Le souvenir du garçon qu'elle aimait, l'amour qu'elle ressentait pour lui, était-il simplement à l'origine de ce revirement ? Au contraire, la pensée qu'elle n'allait jamais plus le revoir n'aurait-elle pas dû la traumatiser davantage ? Pourtant, c'était l'inverse qui se passait. Et pour quelle raison les Immondes semblaient-ils si inquiets ? Cela faisait un bon moment qu'ils s'agitaient autour de leur vasque. Les gnomes refirent apparition, en proie à une certaine fébrilité, eux aussi. Ils se réfugièrent auprès de leurs maîtres.

Soudain, il y eut un bruit sourd et les cages oscillèrent. Cynthia, comme tous les autres, tourna les yeux vers la paroi où avait retenti

le coup. Le mur montrait une lézarde qui grandissait. Un jet liquide de forte puissance jaillit d'un coin de la brèche, puis, dans un fracas énorme qui couvrit sans peine le va-et-vient du soufflet, des tonnes d'eau s'abattirent dans la forge.

Une vague de plusieurs mètres, balayant tout sur son passage, déferla vers le foyer. Cynthia vit les corps des gnomes et des Immondes se dématérialiser et se condenser en une masse lumineuse informe. Cette masse s'étira vers le centre de la rosace, dans laquelle elle disparut à une vitesse inouïe.

L'eau atteignit le foyer et le submergea. Une explosion fracassante inonda la forge d'un nuage de vapeur. Les cages se mirent à trembler de toutes parts.

Affolée, Cynthia s'agrippa aux barreaux de sa cage, tout comme Melaine, Nancy et les autres prisonniers. À travers le brouillard, elle devina un trou sombre, là où, de manière inexplicable, la paroi s'était effondrée. L'explosion passée, il ne subsista plus que le chuintement de la pierre qui se refroidissait.

➩

Laurent, Keewat, Aude et Tom attendirent l'impact avec appréhension. Le madrier, aussi épais qu'un chêne, fila vers le mur à toute vitesse et le cogna avec une telle violence qu'on aurait pu croire à un séisme. Un silence glacé s'installa. Le choc avait-il été suffisant ? Une nouvelle fois, Lorri invoqua Anselme Séverin en croisant les doigts. Faudrait-il tout recommencer ? Un grondement sourd monta, puis ce fut le cataclysme. Les compagnons assistèrent à l'effondrement du mur, puis au déferlement des eaux. Tout se passa à la vitesse de l'éclair. À peine eurent-ils le temps d'entrevoir la Forge Noire qu'une explosion de vapeur masqua entièrement le décor.

Lorri jeta un regard sous la corniche. Le niveau de l'eau, en voie de stabilisation, était descendu d'une demi-douzaine de mètres. La paroi ne s'était donc pas effondrée sur toute sa hauteur. Sans réfléchir, il plongea. Lorsque ses compagnons le virent émerger, sain et sauf, ils firent de même. Tous se mirent à nager vers le trou béant apparu au centre du mur.

Laurent parvint le premier à la brèche. De l'autre côté, les pierres, désolidarisées les unes des autres, s'étaient amoncelées et formaient une montagne de débris entre lesquels

l'eau continuait de s'infiltrer. Il se redressa et se mit à hurler :

— Cynthia ! Cynthia, tu es là ?

— Lorri !

À travers la vapeur, une voix lui avait répondu. Il sentit son cœur battre plus fort. Cynthia était vivante.

Laurent dévala l'amoncellement au risque de se faire écraser par un nouvel effondrement. Il atteignit le sol inondé et sauta dans l'eau jusqu'aux genoux. Derrière lui, il entendit ses amis héler Melaine et Nancy. Des cris fusèrent.

— Elles sont droit en face de nous ! s'exclama Laurent.

Il distingua plusieurs nasses en fer perchées à quelques mètres de haut, puis, dans la plus proche, la silhouette d'une jeune femme désespérément agrippée aux barreaux.

— Lorri ! cria une seconde fois Cynthia.

Il se précipita sous la cage.

— Cynthia ! Tu n'as rien ? Nous allons trouver le moyen de te descendre de ce truc, ne bouge pas.

— Oh ! Lorri ! Je suis si heureuse de te revoir !

— Et moi donc, mon petit oiseau. Tu ressembles à un joli petit oiseau en cage, comme ça !

— J'ai bien failli avoir le sifflet coupé à jamais, tu sais !

— Alors, les filles ? vous vous prenez pour des canaris, vous aussi ? se moqua le Québécois en faisant signe à Melaine et Nancy.

La voix de Lorri tremblait un peu, mais il était temps de détendre l'atmosphère, après les moments d'angoisse qu'ils avaient tous vécus.

— Je dirais plutôt que ce sont de belles petites pies ! fit Keewat en découvrant le spectacle, lui aussi. Et comment vous descend-on de là, hein ?

— Tout ce que je vous demande, cria Nancy, c'est de vous presser ! Je vous en supplie !

— Tu peux me faire la courte échelle, Tom ? proposa Lorri. Il y a une espèce de tirette à ressort sur les cages... En l'actionnant, je pense que les portes doivent s'ouvrir.

— Prêt pour un saut périlleux ? fit le colosse en croisant ses énormes mains et en se mettant en position.

Laurent fixa son ami africain, légèrement inquiet.

# Épilogue

Les murs de la Forge Noire réapparaissaient lentement à travers l'épais nuage de vapeur, ainsi que les effigies de pierre qui y étaient enchâssées. Du moins, ce qu'il en restait. Les sculptures avaient subi une dégradation aussi soudaine qu'inexpliquée. Ne subsistaient plus d'elles que de vagues aspérités, courbes et saillies, rappelant de façon imprécise les formes monstrueuses d'avant le cataclysme.

Les cages de fer et les chaînes qui les reliaient s'étaient également abattues. L'eau les avait dissoutes avec la force d'un acide. Quant au soufflet, renversé et fracturé, il s'était désagrégé de manière tout aussi inattendue.

Laurent et ses amis avaient assisté à ces événements sans comprendre ce qu'ils voyaient. Autour d'eux, il ne resta bientôt

plus que des banderoles vaporeuses, planant à la surface d'une eau qui, elle aussi, finirait par disparaître, absorbée par les interstices du sol.

— Allons-nous-en, murmura Cynthia en tirant Lorri par la main.

— Tu as raison, nous n'avons plus rien à faire ici.

— Il y a une sortie en haut de ces marches, annonça Keewat qui, avec Aude, avait assuré le rôle d'éclaireur. Un second escalier s'ouvre plus loin. Il devrait nous permettre de remonter à l'intérieur du donjon.

— Fichons le camp au plus vite ! pressa à son tour Tom.

Les uns à la suite des autres – ils étaient onze en incluant les membres de la communauté du père Andrew –, les rescapés abandonnèrent l'antre des Immondes. L'ascension qui suivit parut interminable, tous craignaient de voir surgir à nouveau leurs ennemis. Derrière Keewat, muni de la torche étanche prêtée par le père Andrew, Laurent devina bientôt la lumière du jour. Le cauchemar prenait fin.

— Nous avons retrouvé la galerie, prévint l'Amérindien. Ça ne sera pas facile. Il va falloir sauter par bonds au-dessus du vide.

— Qu'est-ce que c'est que ça? lança Cynthia en débouchant sur les vestiges du palier. Je ne suis jamais venue ici lorsque j'étais avec Nancy, Melaine et Tom.

— Que veux-tu dire? s'étonna Lorri.

— Avant de descendre dans le donjon, nous avions emprunté un large couloir. De part et d'autre de ce couloir, il y avait des chambres… Nous y accédions par un escalier en colimaçon qui grimpait de la salle à manger.

— Cet escalier existe toujours. Il est là-bas. Par contre, ta salle à manger est maintenant à ciel ouvert. Regarde par toi-même. Tout cela n'est plus que ruine…

— Ça alors! s'exclama de plus belle la scientifique. Ça voudrait dire que…

— … que vous avez été attirés au castel en empruntant un couloir spatio-temporel. Anselme Séverin m'avait averti. À l'époque où vous vous trouviez, j'ignore laquelle, le castel était intact.

— Je vais vous montrer comment vous y prendre, intervint Keewat en s'adressant au groupe de rescapés. Aude va me suivre. Vous ferez exactement comme nous. Compris? J'y vais!

— Je ne réussirai jamais, gémit Nancy en jaugeant la difficulté.

— Mais voyons ! protesta Laurent. Tu es agile comme tout ! Ne dis pas de bêtises.

Nancy fixa le jeune Québécois. Il était vraiment sincère. Ses yeux ne trahissaient aucune moquerie. Alors, elle se sentit légère. Légère et ragaillardie. Oui, le cauchemar avait pris fin… Sans attendre qu'Aude soit arrivée à l'autre bout, elle sauta en avant.

Il fallut une demi-heure au groupe pour regagner le rez-de-chaussée. Là, surprise, Melaine, Nancy et Cynthia retrouvèrent leurs sacs parmi les décombres, comme s'ils y avaient été jetés sans ménagement.

— Ils n'y étaient pas lorsque nous sommes venus la première fois, s'étonna Keewat. Qu'est-ce que c'est que ce nouveau sortilège ?

— Je n'en sais rien, laissa tomber Nancy en frissonnant, mais maintenant, je vais pouvoir mettre des vêtements secs. J'ai même un second chandail si quelqu'un en a besoin. Un amateur ?

— Moi aussi, proposa également Melaine. Par ici la distribution !

— On dirait qu'ils sont tombés du ciel, observa Lorri, perplexe. Vous les aviez avec

vous lorsque vous avez pénétré dans la bâtisse ?

— Oui, et nous les avions laissés sur le plancher de nos chambres, répondit Cynthia.

— Alors, j'ai peut-être une explication. Vos sacs n'appartenaient pas à l'univers où ils se trouvaient. Lorsque cet univers, celui des Immondes, s'est refermé, ils ont réintégré automatiquement le leur, c'est-à-dire notre univers. Les planchers des chambres n'existant plus, ils se seraient retrouvés dans le vide… et ils seraient tombés. Je n'ai rien d'autre à suggérer.

— En attendant, enfilez ça, monsieur le détective, coupa la jeune scientifique en plaçant d'autorité un tricot dans les bras de son compagnon.

Un air vif les accueillit dans la cour. Beaucoup d'entre eux étaient trempés jusqu'aux os et les vêtements prêtés furent les bienvenus. Tom se plaignit de sa grosse voix :

— Il ne manquerait plus que j'attrape un mauvais rhume ! C'est décidé, je quitte l'Irlande ! Et surtout, ne me parlez plus de visiter un château !

— C'est tout bonnement incroyable, laissa tomber Melaine. Tu te rappelles, Nan, lorsque

nous avons découvert le castel ? Tu t'émerveillais de son état de conservation. Regarde ça, maintenant...

— Les Immondes utilisent des portes qui leur permettent de passer d'un univers à l'autre, expliqua encore Lorri.

De tous, il était le mieux placé pour amener un peu d'éclaircissement sur l'aventure qu'ils avaient vécue. Cela, grâce à Anselme Séverin. Il ignorait pourquoi le prêtre l'avait choisi, lui, plutôt qu'un autre. Peut-être aurait-il un jour la réponse à cette énigme...

— Oui, je me souviens, à présent, enchaîna Melaine. Lorsque nous approchions du château, il m'avait semblé franchir un obstacle invisible. Tom, toi aussi, tu t'en étais rendu compte. C'est à ce moment que nous avons dû changer d'univers et pénétrer dans le leur.

— Et que nos montres se sont arrêtées, reconnut également Cynthia. Nous aurions alors eu intérêt à rebrousser chemin. Une voix intérieure me recommandait de le faire, mais une autre, plus forte, me poussait à continuer... Comme un envoûtement.

— Vous vous rappelez l'entrée de cette grotte, à Belle-Île ? dit à son tour Nancy. Il s'était passé le même phénomène.

— Parce que vous avez déjà vécu une histoire pareille ? s'exclama, incrédule, un des membres de la communauté du père Andrew.

— Oh là là ! répondit Tom Ndzouri avec une mimique. Si tu savais, mon jeune ami !

— En fait, reprit Lorri, les Immondes ont la faculté d'étirer leur monde dans notre réalité, et donc d'exercer leurs pouvoirs à partir de ces portes... Un peu comme on étire une bulle. Leur sanctuaire, dans les profondeurs de Belle-Île, était une de ces portes. La Forge Noire en était une autre, et...

— ... et combien y en a-t-il sur terre ? le coupa Keewat. Car il y a de forts risques qu'il en existe d'autres, pas vrai ?

— J'en ai peur, oui. Mais dépêchons-nous de rentrer, sinon, malgré ces vêtements secs, nous allons tous attraper une pneumonie.

— Le mieux serait de retourner au village de Blackforge, conseilla Aude. Le père Andrew nous offrira bien encore un peu de ce vin de messe qui réchauffe, vous ne croyez pas ?

— Il en a une caisse pleine ! approuva Léda en riant. Nous y avons tous goûté ! Pour réchauffer, il réchauffe !

Ils retrouvèrent les véhicules avec soulagement. Melaine, Cynthia et Lorri allumèrent immédiatement les moteurs. Le chauffage fut réglé au maximum. Tous montèrent ensuite à bord des autos, et ils s'apprêtèrent à quitter définitivement la campagne du castel.

— Quelqu'un connaît-il la route pour rejoindre Blackforge ? demanda Lorri à la cantonade.

— Il faut regagner le vieil aérodrome, expliqua Erwan, un adolescent à la tignasse rousse. Ensuite, on n'a qu'à remonter la route d'accès, puis à bifurquer dans le premier chemin, à gauche. C'est à quelques kilomètres.

Ils arrivèrent au village une heure plus tard. Le père Andrew les accueillit en jetant les bras au ciel. Non seulement Laurent, Aude et Keewat étaient sains et saufs, mais ils ramenaient avec eux leurs amis et quelques-unes de ses ouailles. C'était un miracle ! Un incroyable miracle !

— Nous avons froid, faim et soif, mon père ! annonça Tom en mettant pied à terre. Il paraît que chez vous, c'est une vraie auberge... Que vous avez un vin de messe capable de réveiller les morts !

— Ah ! Ah ! C'est la vérité, approuva en riant l'ecclésiastique. Un fameux vin de messe,

vous pouvez le dire. Peut-être pas très réglementaire, mais fameux quand même ! Ah ! Ah !

Scot, à bord de sa fourgonnette, avait eu la bonne idée d'approvisionner le père Andrew une heure plus tôt. Inutile de dire que le stock allait prendre un sérieux coup sous l'assaut des réfugiés, affamés et assoiffés.

Il y avait eu, par roulement, le défilé aux douches, puis la préparation d'un repas de fête. Tous s'étaient rassemblés peu après autour de la grande table afin de se restaurer. Pressés par les uns et les autres, chacun avait été sollicité pour raconter sa propre aventure. Une vérité se dégageait de ces divers récits. Cynthia fit le point.

— Désormais, nous pouvons être certains qu'il existe un lien étroit entre les dégradations causées à notre environnement et l'apparition des Immondes, expliqua-t-elle. Le naufrage de l'*Erika* avait provoqué une pollution sans précédent sur les côtes de Belle-Île-en-Mer… et ils sont entrés en scène. Ici, en Irlande, pendant des décennies, le surpâturage et la surexploitation des tourbières

ont détruit une bonne partie des landes, entraînant la dégradation de tout un écosystème… et ils sont apparus de nouveau. Dans chacun de ces cas, il est question de comportement déraisonnable, de mépris des règles naturelles…

— Je suis parfaitement d'accord, approuva le père Andrew. La tourbière de Blackforge a été exploitée à outrance. Et en y réfléchissant bien, c'est lorsque le gisement arrivait à épuisement que l'on a mis au jour les momies des gnomes. Si les exploitants avaient été moins cupides, ces momies seraient restées là où elles étaient, c'est-à-dire figées à jamais dans leurs gangues de boue. Toute cette histoire ne serait peut-être jamais arrivée. Il y a, j'en suis persuadé, une relation de cause à effet entre la découverte de ces momies et l'émergence de Dagmar, Danoal et Tugal à notre époque.

— Oui, oui, fit Lorri en écho. Une dégradation de l'environnement s'accompagne toujours d'effets en cascade. La disparition de vastes zones de tourbières a provoqué un déséquilibre dans la nature. Comme nous l'a expliqué Cynthia, la raréfaction des bruyères a entraîné une chute brutale des populations

de certaines espèces d'animaux, par exemple, celle des lagopèdes. Le schéma est clair : un comportement irraisonné entraîne une dégradation, qui entraîne à son tour une rupture d'équilibre. Au bout de la chaîne, c'est le malheur et la désolation, terre de prédilection des Immondes. Je pense que l'on ne devrait jamais dépasser soixante pour cent dans l'exploitation d'un gisement ou d'une ressource, quelle qu'elle soit. Cela serait un bon moyen d'éviter les excès et, ainsi, de préserver l'environnement. Car en y réfléchissant bien, nous ne sommes pas des propriétaires sur cette Terre, mais plutôt des locataires.

— Êtes-vous certains que Dagmar, Danoal et Tugal ne viendront plus nous importuner ? demanda l'ecclésiastique après avoir approuvé de la tête le jugement de Laurent.

— Je peux vous le garantir, reprit Lorri avec force. Nous les avons contraints à retourner en enfer… si je puis m'exprimer ainsi. Vous et votre petite communauté pourrez poursuivre votre œuvre en toute quiétude, maintenant. Le castel de Blackforge n'abrite plus aucun de ces monstres. Mike, Erwan, Léda et Pete nous ont d'ailleurs assurés qu'ils resteraient ici. Pas vrai, mademoiselle, messieurs ?

— Les autres qui ont déserté reviendront aussi, père Andrew, appuya Mike. Où pourraient-ils être mieux qu'avec nous, hein ?

— Mais vous, mes enfants ? Vous les avez côtoyés de près à deux reprises, donc ils doivent vous en vouloir. S'ils ont retrouvé votre trace une fois, ne croyez-vous pas que…

— Anselme Séverin ne nous laissera pas tomber, j'en suis persuadé. Il me l'a promis. Sans lui, le combat deviendrait trop inégal. J'ai confiance. Mais il me vient une idée, tout à coup. Si je me réfère à vos paroles, père Andrew, une de vos missions, ici, est de mesurer la restauration des tourbières en initiant vos protégés à l'écologie. C'est bien cela, n'est-ce pas ? Alors, notre toute jeune fondation, Naïade, peut vous apporter son aide. Je pense que ses membres, ici présents, ne me désavoueront pas si je vous octroie, en plus de celle que vous recevez de votre pays, une petite subvention.

— Non seulement les membres dont tu parles sont d'accord, intervint Cynthia, mais puisque j'ai été invitée dans le Connemara pour m'occuper d'écologie, je vous demande la permission, mon père, de réaliser ce pour quoi je suis venue. Si vous m'accordez

l'hospitalité, père Andrew, je serai ravie d'intégrer votre groupe d'étude.

— Quant à nous, ajouta à son tour Melaine, nous n'avons pas eu une minute pour rédiger cet article sur le castel de Blackforge. Qu'est-ce que tu en penses, Nan ? Ne serait-ce pas l'occasion de nous y mettre, ici, à l'intérieur de ces murs chaleureux ?

— Pourquoi pas ! répondit la jeune Anglaise en fixant Mike des yeux.

C'est qu'elle le trouvait plutôt mignon, ce garçon...

— Bon, fit Keewat. Si j'ai bien compris, tout le monde reste ? Alors, nous aussi, n'est-ce pas, chérie ?

Des huées de gentille moquerie éclatèrent lorsque le Tchippewayan donna un long baiser sur les lèvres d'Aude.

Le repas se poursuivit tard dans l'après-midi. Puis, chargés d'émotions, les uns allèrent se coucher. Les autres, parce qu'ils avaient encore des choses à dire, ou des confessions à faire, se mirent à errer entre les murs de la chapelle. C'est dans ce lieu que se retrouvèrent Cynthia et Lorri.

— Ce que tu me dis est affreux, laissa tomber le Québécois. Te rends-tu compte ? Ils s'insinuent dans tes pensées... Plus encore,

ils projettent des images presque réelles qui te donnent l'impression de voir des choses qui n'existent pas.

— C'était horrible, Lorri. Je te voyais vraiment avec ton tricot en laine torsadée. Melaine et toi, vous…

— Où sont-ils allés chercher ça ?

— C'est-à-dire que… je sais que Melaine t'apprécie énormément. Alors…

— … alors, tu t'es dit qu'il y avait danger, n'est-ce pas ? D'accord, je l'avoue, je la trouve… charmante. Mais c'est toi que j'aime, Cynthia. Tu le sais, non ?

— Bien sûr que je le sais.

Elle l'embrassa tendrement, puis reprit :

— J'ai enfoui ce sentiment au plus profond de moi-même. Les Immondes sont allés là où ça pouvait faire mal.

— Je ne vous dérange pas trop ? fit une voix derrière eux.

C'était Tom. Ils ne l'avaient pas entendu venir.

— J'ai pris ma décision, Lorri, commença le géant en s'asseyant à leurs côtés. Voilà : je retourne au Kenya. Ne m'en voulez pas si je n'intègre pas la fondation Naïade maintenant. Oh, rassurez-vous, je ne pars pas tout de suite. Je reste un moment avec vous tous.

— Il n'y a aucune obligation, Tom. Comment pourrait-on te reprocher quoi que ce soit ?

— Attendez ! Je tiens à vous dire la vérité…

Il raconta ce qu'il avait vécu dans le castel, lorsqu'il était à la recherche de Cynthia, Melaine et Nancy. Il parla de cette voix qui l'avait torturé, du remords qu'elle a fait naître en lui. Ces détails, il les avait tus jusqu'ici.

— Vous comprenez, poursuivit-il, je dois retourner là-bas. On a besoin de moi.

— Cette décision est tout à ton honneur, Tom, déclara Cynthia. D'autant plus que Naïade n'en est encore qu'à ses premiers balbutiements. Il reste beaucoup de choses à mettre au point. Tu rejoindras la fondation plus tard, si tu en as envie.

— Je viens d'avoir une idée ! s'exclama soudain Lorri. Pourquoi le Kenya ne serait-il pas la terre où Naïade lancerait son deuxième chantier ? Notre fondation a des buts écologiques. Mais elle pourrait aussi avoir des objectifs humanitaires…

— Sans compter, enchaîna Cynthia, qu'à mon sens, il ne peut y avoir écologie sans humanité. L'un ne va pas sans l'autre. C'est à toi de nous donner rendez-vous, Tom. Tu nous fais signe, nous mettons une expédition sur pied, et nous débarquons tous au Kenya pour te donner un bon coup de main. Qu'est-ce que tu en penses ?

— J'en pense que vous êtes de sacrés bons amis ! s'exclama le géant en leur donnant deux gros becs sur le front.

À ce moment, la porte de la chapelle fit un « vlan » sonore. Ils se retournèrent et virent Melaine marcher vers eux d'un pas décidé.

— Vous savez quoi ? dit-elle. Je viens d'avoir Marie-Ange Granger sur mon téléphone portable... Oui, ma mère... Ma maman... Elle m'invite ! Cela fait des siècles que ma famille ne s'est pas préoccupée de mon sort !

— Eh bien voilà ! Tout est bien qui finit bien ! s'esclaffa Lorri. Peut-être même que vous fumerez le calumet de la paix ! Si on fêtait ça par une dernière tournée de vin de messe ?

Tom se leva d'un bond.

— Le vin de messe du père Andrew ? Oh oui, alors ! On y va, les filles ? les invita-t-il en présentant avec galanterie ses énormes bras.

Le manège de ses amis fit éclater de rire Laurent. Soudain, le Québécois tressaillit.

— À ta santé, mon jeune ami ! venait de lui lancer une voix issue de nulle part.

— Heu… Mon… monsieur le curé, bafouilla Lorri en se pressant à la suite de ses compagnons… Ne… ne m'en voulez pas… On m'attend… À… à la vôtre !

Pour l'instant, il en avait plus qu'assez des fantômes ! Et la porte de la chapelle se referma. Vlan !

# TABLE DES MATIÈRES

**Gilles Devindilis**

Gilles Devindilis est français, mais il a toujours eu le regard tourné vers l'ouest. Ses ancêtres sont des Acadiens revenus en Bretagne, à Belle-Île-en-Mer, après leur déportation. Depuis son adolescence, Gilles aime les aventures mystérieuses et fantastiques. Il est aussi passionné des sciences et de tout ce qui touche à la nature. Une nature qu'il faut impérativement préserver. Pour lui, l'écriture est un bon moyen de faire passer des messages pour que triomphent le bon sens et le respect. Respect des hommes entre eux. Respect de leur environnement. C'est pour cette raison qu'il a tenu à faire de ses héros, Laurent Saint-Pierre et Keewat, deux jeunes chevaliers des temps modernes aux visées écologistes et humanitaires.

## COLLECTION CHACAL

1. *Doubles jeux*
   Pierre Boileau (1997)
2. *L'œuf des dieux*
   Christian Martin (1997)
3. *L'ombre du sorcier*
   Frédérick Durand (1997)
4. *La fugue d'Antoine*
   Danielle Rochette (1997) (finaliste au Prix du Gouverneur général 1998)
5. *Le voyage insolite*
   Frédérick Durand (1998)
6. *Les ailes de lumière*
   Jean-François Somain (1998)
7. *Le jardin des ténèbres*
   Margaret Buffie, traduit de l'anglais par Martine Gagnon (1998)
8. *La maudite*
   Daniel Mativat (1999)
9. *Demain, les étoiles*
   Jean-Louis Trudel (2000)
10. *L'Arbre-Roi*
    Gaëtan Picard (2000)

11. *Non-retour*
Laurent Chabin (2000)

12. *Futurs sur mesure*
collectif de l'AEQJ (2000)

13. *Quand la bête s'éveille*
Daniel Mativat (2001)

14. *Les messagers d'Okeanos*
Gilles Devindilis (2001)

15. *Baha-Mar et les miroirs magiques*
Gaëtan Picard (2001)

16. *Un don mortel*
André Lebugle (2001)

17. Storine, l'orpheline des étoiles
Volume 1 : *Le lion blanc*
Fredrick D'Anterny (2002)

18. *L'odeur du diable*
Isabel Brochu (2002)

19. *Sur la piste des Mayas*
Gilles Devindilis (2002)

20. *Le chien du docteur Chenevert*
Diane Bergeron (2003)

21. *Le Temple de la Nuit*
Gaëtan Picard (2003)

22. *Le château des morts*
André Lebugle (2003)

23. Storine, l'orpheline des étoiles
Volume 2 : *Les marécages de l'âme*
Fredrick D'Anterny (2003)

24. *Les démons de Rapa Nui*
Gilles Devindilis (2003)

25. Storine, l'orpheline des étoiles
Volume 3 : *Le maître des frayeurs*
Fredrick D'Anterny (2004)

26. *Clone à risque*
Diane Bergeron (2004)

27. *Mission en Ouzbékistan*
Gilles Devindilis (2004)

28. *Le secret sous ma peau*
de Janet McNaughton, traduit de l'anglais
par Jocelyne Doray (2004)

29. Storine, l'orpheline des étoiles
Volume 4 : *Les naufragés d'Illophène*
Fredrick D'Anterny (2004)

30. *La Tour Sans Ombre*
Gaëtan Picard (2005)

31. *Le sanctuaire des Immondes*
Gilles Devindilis (2005)

32. *L'éclair jaune*
Louis Laforce (2005)

33. Storine, l'orpheline des étoiles
Volume 5 : *La planète du savoir*
Fredrick D'Anterny (2005)

34. Storine, l'orpheline des étoiles
Volume 6 : *Le triangle d'Ébraïs*
Fredrick D'Anterny (2005)

35. *Les tueuses de Chiran,* Tome 1
S.D. Tower, traduction de Laurent Chabin (2005)

36. *Anthrax Connexion*
Diane Bergeron (2006)

37. *Les tueuses de Chiran,* Tome 2
S.D. Tower, traduction de Laurent Chabin (2006)

38. Storine, l'orpheline des étoiles
Volume 7 : *Le secret des prophètes*
Fredrick D'Anterny (2006)

39. Storine, l'orpheline des étoiles
Volume 8 : *Le procès des dieux*
Fredrick D'Anterny (2006)

40. *La main du diable*
Daniel Mativat (2006)

41. *Rendez-vous à Blackforge*
Gilles Devindilis (2007)

42. Storine, l'orpheline des étoiles
Volume 9 : *Le fléau de Vinor*
Fredrick D'Anterny (2007)

43. *Le trésor des Templiers*
Louis Laforce (2006)

44. *Le retour de l'épervier noir*
Lucien Couture (2007)

45. *Le piège*
Gaëtan Picard (2007)